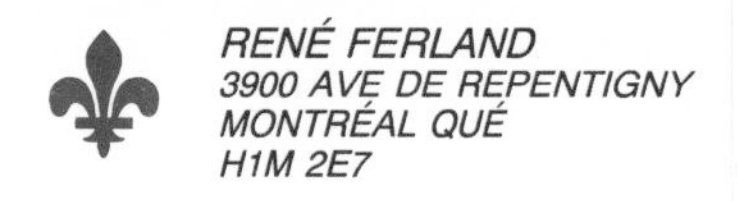

SYLVIE DIONNE

Le travail en mal d'emploi

Regagner sa vie
par l'esprit d'entreprise

DIRECTEUR DE LA COLLECTION
LIBRE COURS
Denis Pelletier

DIRECTEUR GÉNÉRAL
Martin Rochette

RÉVISION LINGUISTIQUE
Martine Pelletier

CONCEPTION ÉDITORIALE
André Mercier

CONCEPTION VISUELLE
Bernard Méoule

INFOGRAPHIE
Francine Bélanger

ILLUSTRATION DE
LA PAGE COUVERTURE
Bernard Méoule (d'après Matisse)

Dépôt légal – 4e trimestre 1997
Bibliothèque nationale du Québec
Bibliothèque nationale du Canada

ISBN 2-89471-074-7
Imprimé et relié au Québec
Impression: Interglobe inc.

Les Éditions Septembre
Collection Choisir enr.
2825, ch. des Quatre-Bourgeois
C.P. 9425
Sainte-Foy (Québec) G1V 4B8
Téléphone: (418) 658-9123
Sans frais: 1 800 361-7755
Télécopieur: (418) 652-0986

Toute personne désireuse de soumettre un ouvrage pour parution dans la collection LIBRE COURS peut contacter les Éditions Septembre au 1 800 361-7755 ou au (418) 658-9123.

PRÉFACE

Le travail en mal d'emploi ou comment canaliser ses énergies dans un contexte où les emplois se raréfient. Voilà une démarche qu'on ne peut éviter lorsqu'on aborde la question de «l'esprit d'entreprise». L'approche de Sylvie Dionne recèle davantage en élargissant la question.

Rompant avec l'attitude traditionnellement défensive face à l'emploi, l'auteure y aborde la question du marché du travail avec vigueur. Elle démystifie les transformations récentes en les situant dans une perspective normale de l'évolution des cycles économiques. Elle associe l'entrepreneurship à une démarche de réalisation de soi. Nos vies personnelles et les sociétés sont organisées en fonction du sens que nous accordons au travail. Il n'en tient qu'à nous d'en assumer le leadership. Il ne devrait pas y avoir de distinction très nette entre un projet de vie et un projet de travail.

En parcourant ce livre, on ne peut que constater qu'il est en lui-même une manifestation de créativité et d'esprit d'entrepreneur. De façon très concrète, abondamment illustré d'exemples simples de vie, cet ouvrage nous amène hors des sentiers battus! C'est une invitation à apprécier le travail comme source importante de dépassement personnel. Cette notion bouleverse l'équation réductrice ambition-réussite.

L'expérience de l'auteure en gestion du changement y est très palpable. Elle nous offre plus qu'une capsule d'optimisme à ranger après lecture. Elle nous incite à puiser dans nos ressources personnelles, et cela, le plus naturellement du monde.

On pourrait résumer la trame de ce livre par «une philosophie de vie». Attention, ce n'est pas de théorie stérile ou doctrinale dont il s'agit. La recherche d'emploi ou la réorientation sont des étapes souvent perçues comme pénibles. Les lecteurs y trouveront une source d'inspiration qui leur permettra de dépasser l'angoisse paralysante pour cheminer vers une attitude créatrice et englobante.

Je sais qu'il faut adapter nos paradigmes à la nouvelle réalité du travail. Mais, de tout temps, les personnes qui ont été d'un apport significatif au marché du travail y ont pris plaisir. La vision et les stratégies n'auront été que la réalisation d'une passion ou d'un rêve. Ce sont ces personnes qui, comme le dit si bien l'auteure, ont créé leur chance.

Quel que soit votre objectif en abordant ce livre, vous trouverez à la fois un mode d'emploi du marché du travail et une réflexion percutante sur le sujet.

Michèle Perryman
Présidente – directrice générale
Ordre des conseillers en relations industrielles du Québec

Ces multiples projets que l'on
ne fait pas naître, nous en portons
le manque. D'abord le nôtre, puis
avec lui, celui de toute notre société.

TABLE DES MATIÈRES

Il n'est plus possible d'aborder le marché du travail aujourd'hui sans en saisir d'abord les principaux enjeux et leurs incidences sur nos vies. Au-delà de l'apprentissage et de l'application de techniques de recherche d'emploi, l'intégration au marché du travail et la qualité de la vie au travail dépendent maintenant de l'attitude que nous adoptons par rapport à notre avenir professionnel. Après de nombreuses années pendant lesquelles travailleuses et travailleurs se sont appliqués à «faire», nous voici à une période de notre histoire collective où l'être se voit de plein fouet sollicité. Force est de constater qu'un courant irréversible confronte actuellement l'ordre des choses, créant dans nos modes de pensée quelque chose que j'ose appeler une sorte de «chaos heureux» qui invite chacun à se poser inévitablement des questions à caractère «essentiel», c'est-à-dire des questions qui s'intéressent moins au comment qu'au pourquoi des choix et gestes que nous faisons.

Le marché du travail vit une transformation dont les enjeux sont nombreux. Nous devons transformer nos croyances, nos perceptions et nos références afin de retrouver un langage, un mode de communication qui, au lieu de générer de l'opposition de part et d'autre, nous rallie à une meilleure compréhension du rôle que nous tenons ou aspirons tenir dans le monde du travail.

Ma pratique de la consultation en transition de carrière et de l'administration de programmes d'aide aux personnes licenciées m'a fait constater un écart de plus en plus grand entre l'application des façons de faire habituelles pour rechercher un emploi et les conditions dans lesquelles le marché du travail les accueille. Il y a ainsi, chez les individus et les groupes, une montée extraordinaire de sentiments de frustration et, surtout, l'évidence d'un grand vide que la peur sait bien alimenter. Dans mes interventions de groupe auprès d'adultes en transition, nombreux étaient ceux et celles qui, d'un air tantôt défait tantôt caustique, affirmaient avoir participé à trois, quatre et même cinq formations en techniques de recherche d'emploi. La motivation et la confiance par rapport à une possible intégration professionnelle diminuaient-elles avec le degré d'exposition à cette méthode traditionnellement appelée «dynamique»? C'était là une hypothèse, mais combien facile et certes limitative si nous ne pouvons entendre tout ce que les réactions des gens savent révéler.

À première vue, les réactions des gens par rapport au marché du travail s'avèrent légitimes puisque les emplois sont rares. Ce raisonnement est cependant porteur de grandes limites, dont la plus importante est celle d'avouer indirectement que notre pouvoir personnel ou collectif dans la situation est pratiquement nul et sans effet. Ce qui n'est pas tout à fait le cas. D'un côté, l'esprit dans lequel favoriser une intégration optimale des gens dans le marché du travail se doit d'être axé sur la collaboration, et de l'autre, nous devons adapter nos attitudes par rapport à ce marché et déterminer la signification que nous donnons à la dimension travail dans nos vies. Le marché du travail se présente, il est vrai, comme une véritable course à obstacles. Nous sommes cependant les seuls à décider de la hauteur qu'aura chacun de ces obstacles.

La conjoncture actuelle, jugée défavorable à l'intégration professionnelle, retourne en fait la balle dans notre camp. Si le marché du travail semble n'avoir rien à offrir, c'est qu'il ne peut plus se référer aux modèles organisationnels et professionnels d'hier pour nous faire connaître ses besoins. Puisque les besoins du marché du travail sont en redéfinition continue afin de s'ajuster à l'évolution des marchés mondiaux et à la concurrence, nous sommes invités à nous poser des questions fondamentales sur le rôle que nous entendons y tenir et sur le type de collaboration que nous souhaitons offrir. De l'offrant qu'il était, le marché du travail nous siffle secrètement à l'oreille: «Qu'as-tu à m'offrir qui puisse répondre à mes besoins actuels ou à ceux auxquels il me faudra répondre demain?» Oui, la balle est dans notre camp, et ce n'est pas le travail qui manque! En dépit de l'énergie et du temps que nous devons consacrer à l'ébauche et à la réalisation d'un projet professionnel fructueux, notre changement d'attitude par rapport au marché du travail est de loin l'élément majeur sur lequel compter pour pouvoir l'intégrer et y collaborer de notre mieux.

Afin de rendre plus vivante la vision entrepreneuriale du travail présentée dans cet ouvrage, j'ai réuni des expériences tirées de mon approche du travail avec plusieurs groupes. Je ne défends pas ici une nouvelle façon de faire, puisque les outils et techniques pour appuyer quiconque aspire à réaliser ses projets sont déjà offerts dans plusieurs milieux. Mon intérêt se porte plutôt vers la façon de rendre concrète et signifiante l'expérience du travail dans notre vie. Dans l'approche que j'ai utilisée auprès des groupes, j'ai adapté la terminologie des outils couramment utilisée en intégration professionnelle afin de rendre l'approche cohérente avec son intention, mais j'ai surtout adopté l'utilisation d'un langage où, devant le vide, la liberté nous invite à faire des choix. J'ai aussi consacré une place plus importante à la dimension du «soi», puisque, selon moi, un projet ne peut trouver sa raison d'être qu'en étant intimement lié avec ce qu'est la personne, c'est-à-dire son promoteur.

La vision entrepreneuriale du travail vise à donner un sens, une direction à ce qu'une personne peut nommer comme étant son besoin d'accomplir quelque chose qui soit significatif à ses yeux, à la manière de l'entrepreneur qui, avec confiance et besoin de réalisation, se rapproche avec courage de tout ce qu'il est et peut offrir. Il nous faut pour cela sortir du sentier des attentes dans lequel notre pouvoir s'appauvrit et emprunter celui des projets dont la réalisation devient l'une de nos préoccupations majeures. Que nous visions une intégration au marché du travail ou que nous soyons déjà travailleur, une vision entrepreneuriale du travail nous porte à découvrir que nous sommes notre propre chef d'entreprise et son principal maître d'oeuvre et qu'il en a toujours été ainsi. L'esprit d'entreprise a toujours eu sa place dans l'histoire du travail. Si sa valeur a fluctué sur les marchés au cours des cinquante dernières années, c'est que la demande pour des attitudes plus conformistes a eu préséance pour répondre aux besoins industriels d'une époque.

Cet ouvrage est certes le fruit de mon expérience à titre de consultante en relations industrielles, de mes années d'intervention en counseling de carrière et en entrepreneurship, de mon engagement dans le domaine de l'andragogie et des apprentissages générés par mes propres entreprises, mais cela n'aurait pas suffit à me donner l'élan nécessaire pour réaliser cet ouvrage. Il m'était bien sûr important de faire écho à de nombreuses personnes qui interviennent dans les disciplines où la carrière tient propos, d'ouvrir une piste à ceux et celles qui questionnent leur pratique d'intervention auprès des individus en cheminement professionnel, d'inviter tous ceux et celles que le sujet du travail intéresse à partager une vision aux valeurs entrepreneuriales. Cependant, il m'était surtout important de communiquer à tous ceux et celles pour qui travail est synonyme de jours sombres tout l'espoir qu'est le mien de les voir s'approprier leurs innombrables richesses personnelles, ces richesses qu'ils ne voient plus, camouflées qu'elles sont sous un épais manteau de brume et qui sont en fait leurs meilleures alliées pour faire en sorte de collaborer au monde du travail d'aujourd'hui et de demain. Les individus, les entreprises, le marché du travail, l'économie, la société entière, pleine de ses différentes communautés et collectivités, tous ont besoin de ce que chacun laisse actuellement caché au fond de lui-même. Et ce ne sont pas les défis qui manquent! Il est temps de sortir du brouillard, de quitter les zones grises de turbulences pour enfin choisir délibérément d'exprimer ce que nous sommes vraiment, ce que nous avons à offrir, ce que nous pouvons échanger, partager et faire devenir.

Année après année, dans plus d'une centaine d'entreprises québécoises ayant fermé leurs portes ou rationalisé leurs effectifs, il me fut inévitable de ressentir le poids de la détresse que portent ces milliers de gens visés par un licenciement. S'est imprimée sur plusieurs de ces regards la marque d'une blessure profonde située au coeur même de l'estime de soi. Au-delà de l'insécurité financière liée à la perte de leur emploi, j'ai perçu chez ces gens des sentiments de trahison et d'humiliation. J'ai entendu de multiples regrets, dont celui d'avoir trop longtemps cru que l'entreprise est une deuxième famille, la première souvent. J'ai assisté à la brusque désuétude de leurs compétences et de leur formation, à l'importance soudaine de leur avancement en âge, à leur méfiance à accueillir le vent du changement. À travers leurs regards désorientés, j'ai beaucoup reçu, énormément appris. J'ai vécu des moments de vive compassion ainsi que des moments de dur effroi. L'impuissance a quelque chose d'insupportable pour quelqu'un qui voit la richesse d'une autre personne sombrer dans l'abîme, tel un grand vaisseau d'or.

Comme Don Quichotte devant ses moulins à vent, j'ai rencontré les manifestations multiples de la résistance au changement. Je ne comprenais pas pourquoi, chez certaines personnes, cette résistance se manifestait de façon si dévorante, si puissante, si suicidaire par endroits.

J'ai consacré à l'étude du changement cinq années de recherche, puis la rédaction d'un mémoire. J'ai plus tard défini le changement comme étant une occasion privilégiée d'apprentissage, une opportunité de reprendre contact avec soi, tout en ne perdant pas de vue ce qu'individuellement il nous importe de préserver, c'est-à-dire de maintenir stable. Tout système vivant vise à protéger son équilibre relatif et possède heureusement son propre mécanisme de défense contre l'intrusion ou la menace extérieure. Ce sont les parapluies de défenses superposées qui m'ont toujours préoccupée, ceux qui, au lieu de protéger, rendent vulnérable toute possibilité de vivre créativement les défis placés sur notre route et qui permettent le dépassement de soi. La protection à outrance ne protège plus lorsqu'elle devient condamnation, de soi d'abord, projetée sur les autres ensuite, puis sur la société par extension. Or, tout changement imposé, dans lequel un individu n'a bénéficié d'aucune consultation ou participation, devient un affront à sa dignité. Les conséquences de cet affront n'ont jamais fait de doute pour moi. Mais, devant le fait accompli, devant un groupe de personnes qui se retrouvent du jour au lendemain devant un licenciement sauvage, j'ai toujours voulu rejoindre en chacune de ces personnes cette partie d'elles-mêmes qui aspire à vivre tout en respectant cette autre partie qui les appelle à la résistance passive, intempestive, extrême parfois. La somme des pertes à digérer est souvent proportionnelle aux défis qui appellent au dépassement de soi.

Le marché du travail, vu avec l'oeil de la victime, semble présenter avec cynisme son hostilité, son étrangeté, sa sélectivité, sa complexité, sa démesure. Avec l'oeil entrepreneurial, le marché du travail n'a rien d'autre à présenter que ce qu'il est: un marché composé de milliers de fourmilières qui ont le défi de trouver des projets, des idées, des solutions, des façons renouvelées de faire et de penser les choses afin de répondre aux besoins des individus et des groupes, sans quoi leur part respective de marché devient précarité.

J'avoue faire parfois un rêve où nous sommes nombreux à mettre un frein à nos courses, histoire de prendre le temps que nous disons ne plus avoir pour regarder ce qui nous entoure. En plus de ceux et celles que nous ne voyons possiblement plus, peut-être apercevrons-nous quelques parties de notre être laissées ça et là, en route. Et si nous confiions à chacune d'elles le soin de nous parler? Comme nous écoutons une personne bienveillante, sans doute ces parties de nous sauraient-elles nous révéler combien grand est notre désir de nous en rapprocher.

C'est pourquoi j'ai pris l'initiative de faire partager quelques contes qui, rédigés dans le souci d'agrémenter la lecture de cet ouvrage, donneront le goût à chacun, je le souhaite, d'être à l'écoute de ce merveilleux monde qui nous habite.

Nous quittons la révolution industrielle pour nous aventurer dans un cycle fébrile où la révolution technologique marque désormais le passage entre deux ères qui n'ont de semblable que l'adaptation à un nouvel ordre de changements. Le rythme effréné auquel surviennent ces changements soulève de nombreux défis à ceux qui cherchent à entrer sur le marché du travail et à ceux qui y sont déjà. Les garanties, sécurités ou avantages liés à l'emploi salarié éclatent avec la bureaucratisation et les lourdes structures organisationnelles. Le travail change de formes et d'habitudes pour s'adapter à une compétitivité désormais mondiale. L'adaptation devient un credo au sein de la société, dans les entreprises et chez toutes les personnes qui désirent occuper un rôle actif dans la nouvelle économie.

Tandis que le statut d'«employé salarié permanent» s'étiole, un nouveau profil de personnes recherchées par les entreprises se dessine peu à peu afin de répondre aux défis et enjeux actuels des marchés. Que ces personnes soient appelées agents de projet, fournisseurs de services, partenaires ou gens d'équipe, ce sont à des individus qui peuvent cultiver ou mettre à profit leur esprit d'entreprise que les entreprises font appel. Nul n'est besoin de posséder toutes les qualités et aptitudes des entrepreneurs pour devenir une personne recherchée des entreprises ni les posséder toutes pour en démarrer une. De toutes les caractéristiques qui permettent de reconnaître les entrepreneurs, il en est une qui les porte toutes à la fois: c'est l'esprit avec lequel les entrepreneurs font face au marché du travail, l'attitude avec laquelle ils l'approchent et l'intègrent. [...] Être entrepreneur, c'est d'abord une façon d'être avant d'être une façon de faire [...].[1]

1. FILION, Louis-Jacques. **Vision et relations: clefs du succès de l'entrepreneur**, Montréal, Les Éditions de l'entrepreneur, 1991, p. 24.

Lorsque je parle de l'entrepreneur, je parle bien sûr de la personne qui fait en sorte que les choses se produisent, qui maintient ses projets, les développe et les fait fructifier. Le profil d'entrepreneur dont j'utilise les traits de personnalité et caractéristiques est celui maintes fois relevé dans les ouvrages qui traitent d'entrepreneurship, particulièrement ceux réalisés par la Fondation de l'Entrepreneurship.

Si l'économie et les collectivités ont un besoin réel d'entrepreneurs qui sauront développer des entreprises souples, dynamiques et innovatrices, force est de constater que celles-ci auront besoin à leur tour d'avoir à leur emploi des personnes capables de travailler dans ce même esprit. Les entrepreneurs font l'entreprise, c'est bien connu. Ce qui est plus nouveau, c'est que les entreprises se transforment malgré elles en incubateur d'esprit d'entreprise, deviennent un milieu où il faut savoir bien faire les bonnes choses, mais où il faut aussi, et surtout, apprendre à être.

L'avenir est certes imprévisible, mais ne l'a-t-il pas toujours été? L'avenir est du domaine de la vision, de la projection, voire de l'imagination. Le changement hier considéré comme une menace est aujourd'hui partie intégrante de la vie organisationnelle et professionnelle. Cela ne veut pas dire que les entreprises et tous ceux qui les font exister sont condamnés à de perpétuelles actions de changement afin de conserver leur place dans l'économie. Beaucoup de choses méritent d'être préservées afin que nous soyons aptes à dépasser ce qui crée le besoin de changement dans notre vie professionnelle ou encore au sein des entreprises, car c'est en étant paradoxalement entouré de miroirs de stabilité que nous sommes le plus enclin à de véritables changements. Au-delà du changement qui affiche sa permanence depuis toujours dans nos vies, ce que nous vivons actuellement peut être appelé une «mutation collective», c'est-à-dire une situation dans laquelle nous nous retrouvons nombreux à vivre une même expérience, en l'occurrence un grand passage à vide entre deux conceptions d'une même réalité nommée «travail».

Une mutation ne peut passer sous silence car elle suscite de profondes remises en question. Les passages forcent les renoncements nécessaires et, en dépit du désordre apparent que cette mutation exerce dans nos vies de travail, il s'y trouve une force vive qui mérite que nous nous y attardions.

Pendant que plusieurs systèmes sociaux sur lesquels nous avons bâti nos croyances chahutent de confusion, que les entreprises qui ont pérennisé leurs structures autour du culte de la productivité abusent de la rationalisation, que nous sommes de plus en plus nombreux à ne plus pouvoir répondre aux appels à la consommation qu'avec le vocabulaire désenchanté de la cure d'amaigrissement, où nous faut-il puiser pour trouver un nouveau sens à notre avenir? Un face-à-face avec le vide est traumatisant. Il ne s'agit en aucun cas de nier le phénomène, puisque l'incontournable propos c'est d'apprendre à perdre certaines illusions. Selon moi, certains faits traumatisants sont à la base du face-à-face avec le vide.

Le premier fait est que nous avons vécu sous une apparente sécurité suffisamment longtemps pour la rendre véritable. La croissance économique qui, hier, courtisait une prospérité déviée sur la consommation a eu pour effet de diriger la frénésie de l'activité de travail vers un système basé sur la production. Le travail, alors exclusivement tourné vers le savoir-faire et la productivité, tenait un rôle surtout utilitaire et mécanique. Une économie en croissance a besoin d'une grande force de travail lorsque tout est à construire afin de produire. Ajoutons à cela la nécessité de rendre permanents les emplois afin de répondre à une montée constante de la demande en biens produits, ainsi qu'une série d'avantages permettant au travail de se définir et d'établir ses ayants droit et nous en arrivons à exprimer l'idéologie même d'une sécurité d'emploi.

Le fait traumatisant n'est pas d'avoir entrevu notre prospérité par la consommation ou d'avoir allié activité de travail et productivité, ou encore que de nombreux travailleurs et travailleuses aient échangé leur savoir-faire productif contre rémunération, avantages divers, statut de permanence lié aux emplois ou sécurité accompagnatrice. Le fait traumatisant est plutôt que nous ayons limité notre vision à cette considération. Tout cela devait inévitablement être éphémère. Avec notre vision limitée, nous avons cru en la permanence de ces faits. Nous avons, sans le vouloir, reflété sur notre descendance cette utopique vision d'éternité. Le système de références et de croyances lié à l'ère industrielle crée aujourd'hui des lésions dans nos modes d'agir, de penser et d'être. Le déclin de l'ère industrielle est cet événement qui, pour une très grande majorité d'entre nous habitués à une certaine conception du travail, engendre une difficulté à répondre adéquatement et sur-le-champ aux impératifs d'une nouvelle ère qui se veut non pas réparatrice ou réformatrice de l'ère qui tire sa révérence, mais plutôt recouvreuse de notre identité humaine au travail et, avec elle, de nos forces créatrices et de notre esprit d'entreprise.

Le deuxième fait traumatisant est que malgré que les avantages consentis avec l'ère industrielle glissent entre nos mains, l'aspect productif du travail demeure. Il n'est cependant plus une exigence isolée. Si le savoir-faire existe encore, il est dorénavant associé au savoir, c'est-à-dire aux connaissances spécifiques et surtout, au savoir-être, siège des attitudes et de l'esprit dans lequel se vit l'expérience du travail. Si le savoir et le savoir-être sont désormais considérés comme des «valeurs ajoutées» à l'activité de travail, force est de constater que ce n'est plus à une seule partie de l'être humain que l'on fait appel pour répondre adéquatement aux besoins d'une nouvelle économie qui s'est complexifiée, mais à une personne entière, avec tous les aspects que sa personnalité peut englober. Le fait traumatisant n'est pas que nous devions mettre à profit tout ce que nous sommes afin de vivre l'expérience du travail, c'est plutôt que cela nous oblige à devoir ajouter le savoir manquant là où c'est nécessaire, puis creuser en nous-même non pas des milliers de petits puits de surface pour découvrir ce que nous sommes, mais un seul, creusé avec authenticité et profondeur afin de rejoindre la source claire de nos aspirations.

Si l'ordre des systèmes jadis établi semble actuellement se défaire, c'est pour se repositionner sur un nouvel équilibre relatif. Il en va de même pour nous qui ne pouvons échapper aux effets que ces changements engendrent en nous, puisque nous sommes ceux qui les avons initiés et façonnés. Le système appelé «marché du travail» est passé d'un ordre où grandes et moyennes entreprises dominaient le tableau, entourées de petites entreprises et d'artisans, à un ordre où petites et moyennes entreprises s'exercent au rôle des grandes avec vigueur, pendant que ces dernières, filières du nouveau profil d'artisans que deviennent les travailleurs autonomes, repensent leurs stratégies.

Le terme «intégration au marché du travail» désigne une conception dans laquelle une personne à la recherche d'un emploi vise à s'inclure dans un ensemble où l'offre et la demande de travail s'interpellent. À cette conception s'ajoute une vision qui, au-delà de la volonté d'une personne à s'inclure dans un ensemble, est porteuse de la véritable intention de cette personne: offrir des services dont elle reconnaît la signification pour elle-même, en vue de collaborer, c'est-à-dire de travailler avec d'autres à une oeuvre commune.

Une vision entrepreneuriale du marché du travail met l'accent sur une intention individuelle suffisamment significative pour que l'esprit d'entreprise puisse de lui-même s'exprimer. Ce sera d'un regard spécifique, ciblé dans une direction de ce vaste ensemble qu'est le marché du travail, que l'intention individuelle pourra s'affirmer dans une oeuvre collective. Une vision entrepreneuriale du marché du travail ne repose donc pas sur une approche individuelle du travail tournée vers l'autosuffisance. Elle va beaucoup plus loin, puisque dans son essence, elle révèle que nous ne pouvons plus compter que sur nous-même pour nous voir inclus au sein d'un ensemble. Notre engagement individuel dans des projets dignes de nous-même saura faire valoir cet autre besoin que nous avons de nous détacher de nos intérêts personnels pour concentrer nos efforts sur un mode de collaboration avec les autres.

Si le travail est en redéfinition, c'est que son sens s'élargit afin de regrouper toutes les activités qui, dans leur forme, nature ou mode d'expression, visent à répondre aux besoins actuels de notre société et aux défis auxquels cette société que nous constituons a la responsabilité de faire écho.

Le retour du balancier

La terminologie entrepreneuriale est apparue depuis peu dans nos vies mais l'esprit d'entreprise, lui, existe depuis des millions d'années. Au plus loin de ses origines, l'être humain a dû mobiliser, rassembler et organiser les choses pour s'adapter à son environnement en modifiant continuellement ses comportements et attitudes en vue d'atteindre un objectif visé, entre autres celui d'assurer sa survie. Nous pourrions prétendre que si l'humain avait été privé d'esprit d'entreprise, la vie sur Terre lui aurait été impossible. Cette faculté est imprimée dans notre répertoire de survie depuis fort longtemps. Il est dit que dix pour cent des personnes de toute société ont les caractéristiques appropriées pour devenir entrepreneurs.[2] En général, lorsque nous faisons référence aux membres d'une population cible qui possèdent les caractéristiques appropriées pour devenir entrepreneurs, nous parlons d'un potentiel de personnes aptes à démarrer et à développer des entreprises à vocation commerciale ou industrielle qui répondent aux besoins des individus et des groupes. Or, tel n'est pas l'objectif de tous les êtres humains et tel n'est pas non plus du ressort de chacun, puisque, au-delà de l'esprit d'entreprise qui prédispose à atteindre les objectifs fixés, le démarrage d'une entreprise fait appel à un ensemble de conditions et de caractéristiques humaines, matérielles et financières qui relèvent d'un cadre plus élargi d'objectifs, d'intérêt et de vision. Tout le monde ne devient pas entrepreneur, certes. Nous avons tous, cependant, la possibilité de faire preuve d'esprit d'entreprise lorsque nous sommes guidés par une intention suffisamment significative à nos yeux. Chez quiconque aspire à s'intégrer professionnellement ou à

2. FORTIN, Paul-Arthur. **Devenez entrepreneur**, Sainte-Foy, Les Presses de l'Université Laval et Montréal, Publications Transcontinentales, 2e édition, 1992, p. 60.

bien vivre sa vie professionnelle à l'aube du XXIe siècle, l'esprit d'entreprise est une aptitude de première importance. Fait intéressant, une aptitude qui semblait avoir été rangée aux oubliettes est devenue l'une des plus sollicitées dans une économie où les emplois sont rares, mais où le travail ne manque pas! Si le contexte dans lequel l'esprit d'entreprise s'exprime aujourd'hui a évolué, sa définition est restée indemne, tout comme sa place en chacun de nous. Ainsi, pour chaque personne désireuse d'entrer sur le marché du travail, l'esprit d'entreprise s'affirme en valeur ajoutée lorsque, à partir d'une intention porteuse de signification, une personne mobilise, rassemble et organise les choses pour s'adapter à son environnement, en modifiant continuellement ses comportements et attitudes afin d'atteindre un objectif.

Si nous refaisons référence à cette aptitude originelle, il faut cependant préciser que la place dynamique qu'elle occupe au coeur de nos sociétés ne date pas de la préhistoire, mais d'à peine cinquante années. Une étincelle d'années où nous avons malgré nous désappris à faire projet, à répondre à notre besoin de réalisation ou d'expression, à utiliser notre capacité d'adaptation au changement, à avoir confiance en nous, aux autres et en la vie, à mettre en valeur notre potentiel créateur. En très peu de temps, nous avons presque oublié que tout ce qui est vrai débute par un rêve. De plus en plus, les témoignages de plusieurs personnes qui ont réalisé leurs objectifs laissent transparaître un message: «*Allez au bout de vos rêves et surtout, permettez-vous de rêver!*» Le rêve devient un des grands besoins de notre société. C'est en lui que l'espoir prend forme et que se dessine notre aptitude à vivre le changement de façon créative et constructive.

L'économie est un grand déclencheur de changements. Elle nous contraint aujourd'hui à réapprendre à entreprendre. Puisque nous sommes fondamentalement des gens aptes à faire preuve d'esprit d'entreprise, ce qui peut paraître une contrainte de prime abord peut se transformer en investissement si nous nous reconnaissons d'abord cette aptitude naturelle à atteindre nos objectifs. Nous aurions pu nous passer de cette contrainte, dirons-nous, mais le cycle de la stabilité économique devait un jour s'achever. Un cycle nouveau nous incite à mettre à profit nos richesses personnelles de façon créative.

Comme une image vaut mille mots, nous pourrions dire du marché du travail qu'il s'apparente à un glissement de terrain. Les emplois de l'ère industrielle devenus désuets pour répondre aux nouveaux besoins naissants glissent, se défont, cèdent leur place pour qu'un nouvel ordre des choses puisse s'installer et devenir. Un cycle économique est terminé, comme le furent tant d'autres dans l'histoire du travail. Les changements n'ont d'autre façon de se produire qu'en forçant un déséquilibre temporaire, le temps que nous apprenions à renoncer, à faire le deuil d'une ancienne situation pour ensuite apprivoiser, intégrer et accepter le nouvel état des choses.

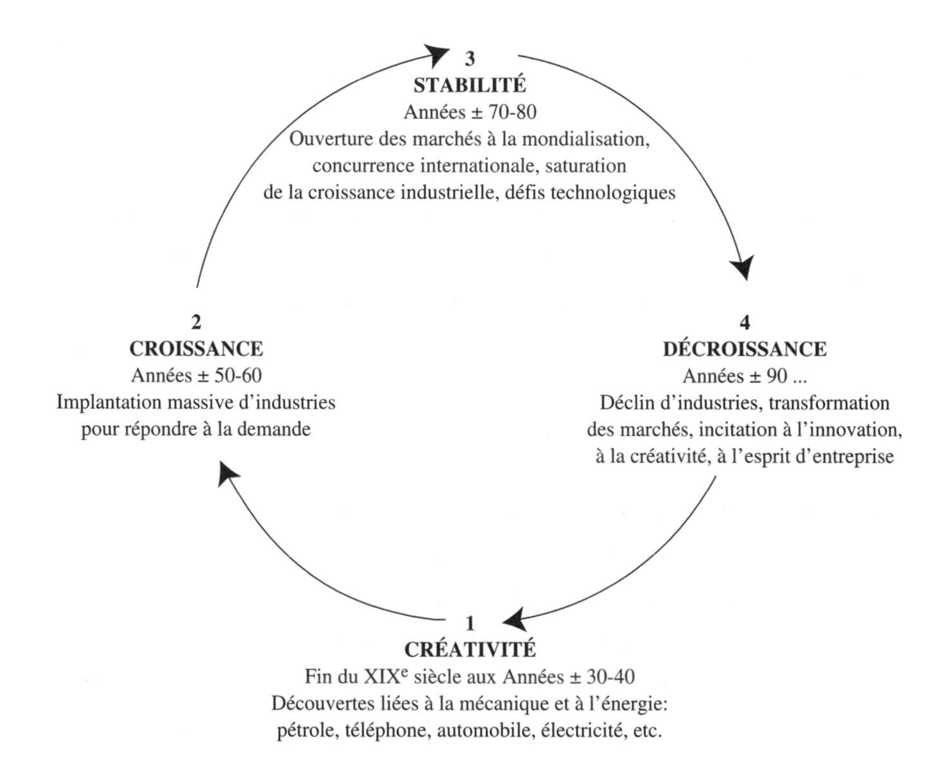

Inspiré de l'ouvrage: COURVILLE, Léon. **Piloter dans la tempête**, Montréal, Éditions Québec/Amérique, Les Presses des HEC, 1994.

Comme tout système vivant, l'économie possède ses cycles. À chacun de ces cycles, les choix individuels et collectifs se transforment pour s'adapter à de nouveaux besoins. De même façon, pour collaborer au marché du travail, nous devons adapter nos attitudes et comportements ainsi que nos choix en fonction de la réalité actuelle.

Ce qui rend l'intégration professionnelle difficile actuellement, c'est que le modèle du travail et du marché de l'emploi construit avec l'ère industrielle nous a procuré des avantages desquels nous n'avions, jusque-là, jamais bénéficié en aussi grand nombre: stabilité et sécurité d'emploi, avantages sociaux, salaires ajustés au coût de la vie, conditions de travail réglementées, etc. Nous avons édifié des structures de travail si hiérarchisées qu'il y avait place pour une variété d'emplois. Un tel modèle a été rendu possible par deux périodes économiques consécutives, soit la croissance et la stabilité. Or, un cycle économique comporte quatre grandes périodes, les deux autres étant la décroissance, puis la créativité. Le début des années 90 a marqué avec vigueur la décroissance de nombreux marchés entraînant avec elle le déclin de nos certitudes. Devant une concurrence dynamique et désormais mondiale, des milliers d'entrepreneurs ont dû réviser leurs façons de faire le travail et de voir le fonctionnement de leurs entreprises. Lançant partout le credo *«Faire plus avec moins»*, ils venaient d'ouvrir les portes à une invitation collective adressée tant à ceux déjà au travail qu'aux nouveaux aspirants: *«... nous avons besoin de nouvelles idées, de projets, d'innovations, de solutions!»* Mais lorsque autour les structures se défont, quand le langage change de priorités, quand les acquis s'envolent, les gens ne voient plus que l'inconnu, le vide. Très peu de personnes auront le réflexe spontané de dire: *«... bien sûr, allons-y, voilà des idées, voici comment on peut faire face à la musique!»* L'ère industrielle n'a pas préparé les gens à faire preuve d'esprit d'entreprise. Il était exigé d'eux qu'ils fassent les choses. C'est une «main-d'oeuvre» qui était sollicitée chez les individus, non pas la mise en oeuvre de leurs talents ou de leur imagination. Or, l'apprentissage d'une nouvelle façon de se comporter ou de voir les choses exige du temps, et le temps requis pour changer est directement proportionnel à la grandeur des pertes auxquelles il faut consentir. Les pertes occupent toute la place de notre être occupé à résister, jusqu'à ce que nous puissions donner un sens au changement et enfin y découvrir de nouveaux avantages. En cette fin du XXe siècle, nous nous retrouvons donc à une croisée des chemins entre le deuil d'un chapitre de notre histoire et la naissance de grands changements.

Une bonne police d'assurance-collaboration

La collaboration au marché du travail est une ronde de négociations:
Je me débats entre les offres et les demandes.
J'interprète de multiples clauses à ma façon.
Je vocifère, me perds en conjectures.
Jusqu'à ce que j'obtienne l'ultime rêve,
ce contrat social par qui je deviens collaborateur.
S.D.

Dans un contexte économique en pleine mutation, la mise en lien avec le marché du travail devient en soi un véritable projet en ce sens qu'elle n'est plus un mouvement que nous ne vivons qu'une fois dans notre vie et qui se termine avec l'arrivée de la retraite. C'est une relation sans cesse renouvelée où la seule sécurité est ce que nous sommes: nos ressources, nos aptitudes, nos talents, nos centres d'intérêt, nos motivations, nos différences, notre créativité, notre sens de la communauté, notre esprit de collaboration. Puisque nous sommes désormais notre meilleure police d'assurance, voici en quelques points comment nous pouvons en rédiger la couverture.

- Aucun entrepreneur ne met en marché un produit ou service sans en avoir d'abord dressé les caractéristiques, les avantages et sans avoir ciblé les besoins auxquels il répond. **Protection n° 1:** Je détermine ce que j'ai à offrir à la lumière de ce que je deviens, puisque en tant que personne humaine, mon identité, mes besoins et mes centres d'intérêt se transforment.
- Aucun entrepreneur ne sous-estime son produit, ne le cache en entrepôt en espérant que les autres le découvrent et l'achètent. **Protection n° 2:** Je romps avec les sentiments de dévalorisation et

les comportements d'attentes. Je suis mon propre réalisateur de projets. Je ne peux offrir véritablement que ce en quoi je crois.

- Quelles furent les réactions de l'homme préhistorique la première fois qu'il s'est trouvé devant un mammouth? Trois hypothèses: il détala au plus vite afin de s'en protéger; il figea sur place risquant ainsi le pire; il mit en place un plan d'attaque jugeant que cet animal pourrait largement nourrir sa famille. **Protection n° 3:** J'ai toujours le choix. La liberté de choisir est un droit auquel s'allie une responsabilité, et ce, pour toute nouvelle situation à laquelle je dois faire face.
- Les produits et services lancés sur le marché sont soumis à une amélioration continue de leur qualité afin de pouvoir maintenir une durée de vie rentabilisable. **Protection n° 4:** J'assure une autoévaluation continue de mes connaissances et de mes compétences. Je reste à l'affût de l'information liée à mes services et conserve une attitude d'écoute et d'ouverture à mon environnement.
- Si nul n'est une île, nul secteur d'activités ne possède toutes les réponses à ses problèmes. Les problèmes des uns sont des opportunités pour les autres de contribuer à leur solution. **Protection n° 5:** Quel que soit mon domaine d'activités, je garde le regard sur la forêt au lieu d'avoir le nez collé sur l'arbre afin de reconnaître les besoins non comblés.
- Lorsque nous portons notre chapeau de consommateur, nous devenons un décideur exigeant. Si nous achetons moins, nous désirons en avoir plus pour notre argent: plus de variété, plus de qualité, plus de souplesse, plus de service, plus de valeur ajoutée. **Protection n° 6:** Pour une collaboration optimale au marché du travail, j'applique ce que j'exige en tant que consommateur, puisque je suis l'une de ces personnes qui, à la source, fait changer les règles du marché.
- Aucune entreprise ne s'aventure à lancer un produit sans avoir a priori ciblé à qui il s'adresse. Aucun produit n'est destiné à n'importe qui, tout comme il n'est d'ailleurs pas destiné à n'importe quoi. **Protection n° 7:** Je définis mes services, leur valeur ainsi que leur rôle. Je détermine à qui je veux les offrir et j'apprends à

connaître le marché auquel ils s'adressent ainsi que les clients potentiels vers qui cibler leur promotion.

- Le travail ne manque pas! Ce sont les emplois associés au cadre de référence de l'ère industrielle qui sont rares, avec leurs paramètres favorisant la sécurité, la stabilité, la permanence, l'exécution, un besoin minimum de formation et des compétences davantage manuelles. **Protection n° 8:** Je vis à l'ère des réseaux, donc je me branche sur des circuits d'information ou des sources de renseignements qui peuvent s'associer à mes intentions et me conduire vers un marché cible où le travail ne manque pas et où je peux mettre mes services à profit.
- Plus les changements se produisent rapidement, plus cela exige une saine considération de soi. Si nous ne faisons que réagir à l'environnement, nous y laissons toute notre énergie. Puisque l'énergie humaine est une denrée épuisable et pas toujours renouvelable, il devient des plus importants de faire des choix qui s'associent à ce que nous sommes. **Protection n° 9:** Je détermine ce que j'ai à offrir en tenant compte des croyances et des valeurs que j'accorde au travail, de l'intention qui guide mes actions et du degré de cohérence que cela procure à ma vie.
- Pour résumer en peu de mots ce qu'est une bonne police d'assurance-collaboration pour un travailleur: **Protection n° 10:** Connais-toi toi-même. Un vieil enseignement qui date de plus de 1 500 années!

L'esprit d'entreprise

Nous avons défini comment s'exprime l'esprit d'entreprise chez l'être humain. Si nous faisons référence à l'entrepreneurship, terme plus à la mode, pour tirer des définitions adaptées à la collaboration au marché du travail, nous trouvons: «[...] une volonté constante de prendre des initiatives et de s'organiser, compte tenu des ressources disponibles, pour atteindre des résultats concrets.»[3] «[...] manifester de l'entrepreneurship, c'est s'organiser pour pouvoir faire ce que l'on aime faire et ce que l'on sait faire, et de manière à ce que ce savoir-

3. GASSE, Yvon. **L'entrepreneur moderne: attributs et fonctions**, Revue internationale de gestion, vol. 7, n° 4, 1982, p. 3.

faire se transforme en pain et beurre pour soi-même et éventuellement pour d'autres.»[4] Et dans une perspective plus visionnaire: «L'entrepreneurship de l'avenir, c'est celui où l'on saura utiliser au mieux les facultés, les biens et les moyens afin de créer, de développer et d'implanter des solutions permettant de répondre aux besoins des personnes et des groupes, sans hypothéquer indûment les ressources disponibles.»[5]

Lorsque nous parlons d'une personne de type entrepreneur, nous parlons à la fois de projet, donc d'objectif à atteindre et de soi: «En imaginant son projet d'entreprise, l'entrepreneur traduit son intention, exprime ce qu'il veut faire. Bref, le projet est pour l'entrepreneur l'actualisation de ses intentions. C'est pourquoi, lorsqu'on examine le projet d'entrepreneur, on est frappé par la vérité intime du projet pour l'entrepreneur lui-même; par le lien entre ce qu'est la personne et ce qu'elle fait.»[6]

Ces quelques définitions de l'entrepreneurship mettent en relief l'attitude avec laquelle une personne de type entrepreneur donne un sens à ce qu'elle est par chacun de ses comportements. Il en est de même pour la personne qui vise à entrer sur le marché du travail. En exprimant ce qu'elle est par un projet professionnel, elle donne une direction, une raison d'être à sa conduite. L'heure n'est plus à nous chercher un emploi, mais bien à découvrir le projet par lequel exprimer nos intentions. Puisqu'un projet professionnel ne prend son sens véritable qu'à travers la personne qui entreprend de lui donner forme, il est important de bien connaître le profil d'une personne de type entrepreneur.

La naissance d'un projet nécessite un déclencheur. Le déclencheur de l'heure, en matière d'esprit d'entreprise, est l'économie. Nombreuses sont donc les personnes qui ont en commun un facteur propice à la naissance d'un projet. Parmi elles, certaines, compte tenu de leurs références familiales, culturelles ou régionales, ont des modèles qui renforcent davantage l'esprit d'entreprise. Or, au-delà de l'environnement familial ou socioéconomique, l'esprit d'entreprise s'affirme et s'exprime par les attitudes et les comportements d'une personne. Un profil des traits «entrepreneuriaux» permettra à ceux qui visent une

4. COSSETTE, Claude. **Un Québec viable mais vivable pour nos enfants!**, Le Club régional de l'entrepreneurship, édition spéciale 5e anniversaire, avril 1992, p. 26-27.

5. FORTIN, Paul-Arthur. **Devenez entrepreneur**, Sainte-Foy, Les Presses de l'Université Laval et Montréal, Publications Transcontinentales, 2e édition, 1992, p. 52.

6. TOULOUSE, Jean-Marie. Conférence donnée au colloque **Culture entrepreneuriale en éducation**, tenu à Trois-Rivières le 2 mai 1992.

entrée sur le marché du travail de faire des liens entre les traits qu'ils ont déjà et ceux qui peuvent devenir un modèle de développement personnel et professionnel.

Du côté des motivations, l'entrepreneur présente prioritairement un besoin de réalisation personnelle et d'accomplissement. L'autonomie de décision et d'action, l'ambition, l'indépendance, le goût de contribuer à quelque chose et la volonté de réussir sont les autres motivations les plus marquées chez l'entrepreneur.

Du côté des aptitudes, la confiance en soi figure en tête de liste. Le fait qu'un entrepreneur ait conscience de sa valeur personnelle contribue à le rendre confiant de pouvoir atteindre ses objectifs. La confiance en soi semble intimement liée à la connaissance de soi. Elle s'acquiert au fil des expériences réussies, au cours des événements de la vie, positifs ou négatifs, où il est possible de mesurer sa propre efficacité. La volonté de réussir alimente la confiance en soi et transforme les obstacles et les échecs en occasions d'apprentissage, en moyens de progression. La persévérance ou la ténacité sont d'autres aptitudes soutenues chez l'entrepreneur, puisque même dans le plus articulé des projets, il se présente inévitablement des impondérables, des freins, des difficultés qui mettent au défi l'aptitude à persévérer. La capacité d'adaptation devient en conséquence une aptitude favorisant le maintien de la persévérance. L'enthousiasme et la capacité de communiquer cet enthousiasme, l'écoute et la compréhension des besoins des autres sont aussi des aptitudes bien exprimées chez l'entrepreneur.

Du côté des attitudes, on reconnaît chez l'entrepreneur une prédisposition à calculer les risques, une ouverture par rapport au changement, le positivisme, l'intuition, une saine curiosité et un sens de la vision, c'est-à-dire une façon de voir son destin, de créer lui-même sa chance et de se l'approprier par chacun de ses choix.

Du côté des centres d'intérêt, on note son penchant pour l'innovation, l'initiative, l'action, l'engagement, le défi et la recherche d'information susceptible de mettre ses projets en piste.

Plusieurs motivations, aptitudes, attitudes et centres d'intérêt sont recensés chez les entrepreneurs. Les nombreux traits décrits précédemment pourraient laisser croire qu'un entrepreneur est un personnage mythique, doté d'un profil quasi déifié. Ce n'est cependant pas le cas. Un même entrepreneur ne possède pas tous les traits présentés, mais tout entrepreneur y retrouve les siens, ceux qui sommeillent en lui, ceux qu'il peut faire devenir, ceux qui, enfin, pourront servir de structure à un projet auquel il croit. Les traits que nous possédons et qui peuvent être en lien avec ceux que nous retrouvons chez l'entrepreneur sont les outils qui nous aideront à articuler notre propre projet professionnel. Connaître ce que nous sommes devient en quelque sorte notre premier projet.

L'entrepreneur se connaissant reconnaît ses atouts et ce qu'il doit acquérir pour assurer la mise en marché de ses services de façon efficace. La connaissance de soi qui, à l'époque de l'ère industrielle, pouvait être considérée comme une activité de moindre importance, devient aujourd'hui la plaque tournante de tout projet professionnel. Seul ce que nous rendons conscient en chacun de nous peut véritablement concourir à nous rapprocher de ce que nous sommes vraiment, c'est-à-dire une personne fondamentalement apte à faire preuve d'esprit d'entreprise. La difficulté qu'ont les gens de définir un projet, de décrire leurs services ou de s'approprier leurs ressources personnelles tire ses racines d'une méconnaissance de soi ou, plus encore, d'une négation de soi et, par conséquent, de ce qu'ils veulent véritablement. Faire le choix de se connaître, c'est choisir de naître avec soi, de laisser vivre les différentes facettes de sa personnalité afin de ne plus être contraint à vivre sa vie en mode de réaction à ce que l'environnement semble proposer. Chaque fois qu'une personne s'attarde à une idée, à une image qui la retient, à une personne qui l'intéresse, à une chanson qui la rejoint, à une phrase qu'elle relit en savourant chacun des mots, cette personne est en train de surprendre son propre projet d'être. Une personne qui croit savoir n'a pas le goût d'apprendre. Une personne qui croit se connaître n'a pas le goût de s'exprimer, c'est-à-dire de libérer ce qu'il y a de plus naturel, de plus authentique et de plus créatif en elle.

Alors, qu'est-ce donc qu'une personne qui se connaît véritablement? Je répondrai avec ce qu'il m'a été donné de constater chez de nombreuses personnes. Quelqu'un qui se connaît fait de sa vie une expérience dans laquelle il est son propre projet. Un projet qu'il libère en avançant, en risquant, en étant attentif à ses préférences et à celles des autres, en faisant des choix qui lui ressemblent. Ses réelles intentions deviennent alors de plus en plus évidentes et s'imposent à lui-même.

La petite chenille inquiète

Une petite chenille demanda un jour à un papillon:

«Dis-moi, je veux savoir comment on devient un papillon.

— Tu n'as pas à savoir cela, petite chenille, lui répondit le papillon.

— Est-ce un si grand mystère, pour que personne ne veuille me répondre?

— Sois ce que tu es, c'est tout, lui répondit le papillon.»

En plein coeur de l'été, la petite chenille ne sut ce qui lui était arrivé. Invitée à sortir de son cocon, elle déploya deux belles ailes bleues de la couleur du ciel de l'été.

C'est fou, se dit-elle. Hier, tu ne peux que ramper et aujourd'hui, tu te mets à voler! Drôle de vie que celle-ci: il n'y a pas moyen de savoir tout ce qui peut nous arriver!

À défaut de projet

Une personne qui se méconnaît a davantage le réflexe de s'adresser à son environnement pour définir et trouver son rôle, sa place, d'où une multiplication de recherches souvent décevantes et infructueuses. Il ne faut pas oublier que la balle est maintenant dans notre camp. Ainsi, une personne qui se tourne vers son environnement pour voir ce qu'il peut lui offrir comme perspectives professionnelles risque d'être confrontée aux découvertes suivantes:

- les offres publicisées se font rares (et cela ne signifie aucunement que les entreprises n'ont pas de besoins);
- les choix de formation ne conduisent à aucune certitude d'intégration professionnelle puisqu'il revient à la personne de mettre à profit ce qu'elle apprend;
- si un choix de formation n'est pas un gage de réussite professionnelle, il est cependant indéniable qu'en deçà d'une formation professionnelle ou technique et à moins de privilégier la formation continue, les opportunités d'intégrer le marché du travail déclinent nettement;
- les entreprises, hier les plus nombreuses à générer de l'emploi, se réorganisent, se débureaucratisent, gèlent l'embauche et redéfinissent leurs modes de fonctionnement pour s'ajuster aux besoins de leur clientèle dans un marché concurrentiel;
- le fait de cibler la grande entreprise prive une personne de plus de 95 % du marché du travail, lequel est composé de petites et moyennes entreprises souvent mal connues, mais actuellement mieux placées que les grandes pour accueillir des projets;
- à compétences égales, les entreprises priorisent dans leurs rangs les personnes qui affichent de l'attitude, c'est-à-dire l'esprit d'entreprise, l'art de communiquer et de créer des relations personnalisées, l'écoute des besoins d'autrui, la propension à faire équipe, l'expression de sa créativité, l'appropriation du changement, l'engagement envers soi: la connaissance de ses forces, de ses limites, de ses services et de ses intentions professionnelles et plus encore, la perception de son rôle et de la valeur qu'a celui-ci pour elle-même, pour une entreprise, voire pour une collectivité;
- il existe de nombreux secteurs d'activités qui regroupent plusieurs marchés cibles, mais faute de faire un choix parmi l'un d'eux, toute tentative de collaboration professionnelle se révèle improductive. En effet, pour répondre à des besoins, il est crucial de bien cibler son marché et d'apprendre à le découvrir;

- à force de recherches, de rencontres, de collectes d'information, de pistes et d'enquêtes, il convient d'affirmer que sans un projet par lequel exprimer nos intentions, il est impossible de répondre à la consigne: «Parlez-moi de vous», laquelle est en fait une invitation à répondre à la question suivante: «Qu'avez-vous à nous offrir?».

L'esprit d'entreprise étant à lui seul générateur de plusieurs des attitudes citées précédemment, il convient de faire le point sur ce qui lui fait échec:

- **L'attitude «Petit Poucet»:** aller remplir des demandes d'emploi de façon aléatoire sans même rencontrer les personnes responsables.
- **L'attitude «devinette»:** à la case «Emploi désiré», inscrire: «N'importe quoi».
- **L'attitude «6/49»:** remplir des demandes d'emploi ou poster son curriculum vitae au service des ressources humaines de plusieurs entreprises et attendre chez soi que le téléphone sonne.
- **L'attitude «marathon»:** lire les rubriques d'offres d'emploi dans les quotidiens et envoyer une offre de service en même temps que 300 autres personnes.
- **L'attitude «Y'en a pas de job!»:** ne pas avoir de projet!

S'il était suffisant encore hier de poser notre regard sur l'environnement pour dénicher des offres susceptibles de répondre à nos besoins, nous devons aujourd'hui tourner d'abord notre regard vers nous pour préciser nos choix, nos valeurs, nos besoins, nos motivations, nos aptitudes, nos attitudes et nos centres d'intérêt. Ce n'est que par la suite que nous pourrons poser notre regard sur ces marchés regroupés sous l'appellation «marché du travail», afin de déterminer là où nous souhaitons intervenir et mettre à profit tout ce que nous sommes.

L'esprit d'entreprise n'est pas quelque chose que nous décidons d'avoir. L'esprit d'entreprise ne vient pas avec la volonté. D'ailleurs, plus nous voulons en faire preuve, plus nous nous en éloignons. L'esprit d'entreprise est une conséquence, le résultat d'une intention, d'une vision qui se fait projet, que nous nourrissons en notre intérieur. L'esprit d'entreprise prend naissance par la définition de cette intention en projet, par l'élaboration de ce projet et par sa mise en forme.

L'esprit d'entreprise nous invite ensuite à soumettre notre projet au test de l'environnement afin de cibler le marché que ce projet peut intéresser. Et lorsqu'un projet trouve son écho sur un marché ou chez un client, c'est que l'esprit d'entreprise se trouve transcendé.

L'intention initiale qui a nourri l'esprit d'entreprise prend dès lors une dimension supérieure du fait que d'autres personnes s'associent à cette intention. Un projet est le fruit d'une intention individuelle. Sans écho du marché, ce projet reste au stade individuel et y demeure jusqu'à ce qu'il puisse faire partie d'un système plus vaste où il pourra se matérialiser. Avec l'écho du marché, l'esprit d'entreprise engendre l'esprit de collaboration en conférant au promoteur le rôle de collaborateur au sein d'une équipe composée de plusieurs autres collaborateurs. Le promoteur du projet conservera son titre, tout comme son intention première, mais quelque chose aura dorénavant changé pour cette personne: elle assistera graduellement à la transformation de son projet et à son enrichissement. De l'individualité germera la collectivité du seul fait de rendre accessible à autrui et partageable avec autrui une intention authentique.

«*Et si, de promoteur, je ne devenais jamais collaborateur?*», s'inquiètent certaines personnes. Sachons qu'il est recommandable de revoir périodiquement notre projet et chacune des étapes entreprises... avec détachement, comme s'il s'agissait du projet de quelqu'un d'autre. Il est bon aussi d'évaluer les actions, les choix faits en cours d'élaboration, d'examiner les comportements et attitudes et surtout de ne jamais hésiter à modifier le parcours entrepris.

«*Et si l'esprit d'entreprise ne venait pas?*», ajoutent d'autres. Il faudrait alors questionner notre intention. Celle-ci est-elle suffisamment significative à nos yeux? Si oui, en quoi l'est-elle? Cette intention est-elle assez primordiale pour que nous choisissions de la traduire en projet et de lui consacrer le temps qu'elle mérite? Si oui, quelles formes pourrait-elle prendre?

Si l'esprit d'entreprise se révèle indépendamment de la volonté, l'intention, quant à elle, en est la porteuse. De la définition de l'intention, on lit: *dessein délibéré d'accomplir un acte, volonté*. J'appuie sur les mots «dessein délibéré», car si l'intention ressemble davantage à un devoir, à une responsabilité, à un fardeau, ou à l'épée de Damoclès, il y aura là tout ce qu'il faut pour intimider l'esprit d'entreprise. Une intention est ce que la personne veut délibérément accomplir et pour laquelle elle mettra de côté la panoplie de mauvaises raisons qui ne manqueront pas de surgir afin de freiner ses élans. Une intention trouve ses racines dans le coeur. Les expressions suivantes en font foi: «*Cette personne a du coeur au ventre!*» «*Celle-là a le coeur de le faire, elle a agi de bon coeur, de tout coeur!*» Lorsqu'une intention est volontaire, authentique, délibérée, l'esprit d'entreprise ne peut lui rester muet.

Une intention raisonnée mène aux projets raisonnables.
Une intention puisée à même le coeur
libère l'esprit projeteur de sens.
S.D.

«*Et si de projet, je n'avais pas?*», lancent certaines personnes. Quelle que soit notre intention, si celle-ci est véritable, elle nous guidera vers un ou peut-être même plusieurs projets. Les personnes qui croient ne pas avoir de projet auront sans doute avantage à définir ce qu'est, pour elles, l'idée de projet. La difficulté liée au mot «projet» est que les personnes s'en font une réalité souvent inaccessible. Le projet est considéré avec tant de grandeur que sa réalisation semble relever de l'exploit. Le projet est parfois associé au résultat d'une soudaine illumination qui lui confère le juste titre d'invention. Une connotation si extraordinaire est attribuée au projet, un sens qui plane si haut lui est donné, que tout ce qui ne semble pas voler sous pareils horizons ne peut faire figure de projet. Ainsi, avant même de se donner le droit de cultiver en elles un sol fertile à la naissance de projets qui peuvent leur tenir à coeur, les personnes avortent l'idée même d'avoir un projet bien à elles. Qu'il soit question de réaliser le plus beau des jardins dans sa cour, d'enseigner à ses enfants la valeur du travail bien fait, d'organiser dans la communauté des soirées de recherche d'idées pour améliorer la qualité de vie de son milieu, de planifier une année sabbatique afin de réaliser un rêve, de retourner aux études pour acquérir de nouvelles compétences, de vouloir réaliser des fouilles archéologiques, de concevoir de la musique assistée par ordinateur, d'accompagner des personnes en perte d'autonomie, de veiller au contrôle qualitatif des inventaires dans un entrepôt ou de dresser des plans pour réduire les coûts d'énergie d'un système, un projet ne trouvera sa valeur et son essence qu'à travers celui ou celle en fait la promotion.

La meilleure façon de faire dévier un projet est de le soumettre de façon précoce au test de la quantification et de l'évaluation, à celui des considérations de tout acabit au regard du rendement, de la visibilité, de la popularité, de la commercialisation, de bénéfices, d'offre et de demande, de statistiques, de graphiques, de pénurie ou d'études détaillées. Quoi de plus facile que de trouver mille justifications pour invalider un projet, le fragiliser, le tuer dans l'oeuf. Pour vivre, un projet a besoin que nous nous y abandonnions, que nous lui laissions le temps de s'installer en nous afin que différentes perspectives puissent se manifester, se révéler à nous.

Il n'est dorénavant plus question de nous tourner vers l'environnement pour qu'il nous dise où aller, quoi faire dans la vie, quoi savoir pour ne pas nous tromper, quelle entreprise pourrait embaucher, quoi dire pour réussir une entrevue, quoi étouffer en nous par peur de ne plus pouvoir travailler.

En fait, pour toute priorité, il y a celle d'aller à la rencontre de nos intentions, de nos visions, de ce que nous voulons. Les comment, les qui et les quoi s'imposeront d'eux-mêmes.

La famille Faiseur de l'Île-aux-Oies

En ce temps-là, une seule famille habitait l'Île-aux-Oies. Les Faiseur étaient d'habiles artisans. On disait d'eux qu'ils avaient reçu de leur père un héritage peu commun. Une dette en avait été l'objet.

Faiseur était un homme qui savait parler aux oies, mais qui ne savait rien faire d'autre. Non pas qu'il était fainéant. Il avait plutôt les mains pleines de pouces reliés par une mince membrane de peau, à la manière d'une palme. Robustes, bien que peu adroites, ses mains qui auraient pu lui faciliter l'apprentissage de la nage lui permettaient à peine d'empoigner convenablement les rames de son canot. Un jour où il était arrivé sur l'île, de peine et de misère, comme d'habitude, il se mit à genoux et leva ses mains vers le ciel, l'implorant.

«Que veux-tu de ces dix pouces que je fasse? Dis-moi, que veux-tu que je fasse?»

Une grosse oie s'approcha, inquisitrice.

«Faiseur, quelle grisaille fait de toi un complice du ciel en ce jour sans éclaircie?

— Je t'en prie, chasse de ta bouche ce nom maudit. Je ne puis rien faire qui vaille un demi. De ce nom je porte une malédiction!»

Au même moment, deux oies paniquées se posèrent sur l'île.

«Grande oie, de ton aide nous te saurions gré. Là-bas sur l'onde, près de l'arbre pleureur, notre fils apeuré s'est fait prisonnier d'algues géantes bien enracinées.»

Faiseur reprit son canot et rama si vite qu'on aurait pu croire ses mains transformées en ailes. Il arriva sous l'arbre et plongea aussitôt sous l'eau. Il tenta d'arracher les algues qui retenaient prisonnier l'oison, mais malgré leur robustesse, ses pouces malhabiles n'arrivèrent à rien. Il descendit plus profondément et tenta de tirer les racines du littoral. Rien encore. Sachant bientôt sa respiration manquer, il se mit désespérément à creuser le sol à la manière d'un chien qui cherche un os. Il revint à la surface, regarda avec déception la grande oie, l'air de s'avouer vaincu. Puis, fixant quelques instants les yeux suppliants du parent, il plongea à nouveau, déterminé. À coups de dents, il sectionna une à une les grandes algues, et l'oison excité, revint à la surface. Comme s'il eut craché un mauvais tabac à chiquer, Faiseur, heureux d'avoir sauvé l'oie, répétait en s'essuyant la bouche, qu'une algue ça goûte vraiment mauvais.

La grande oie, jugeant en dette sa colonie, dit à Faiseur de reprendre son canot, de retourner chez lui et l'informa de la venue prochaine d'une femme qui saurait reconnaître et aimer en lui tout ce qu'il était vraiment. Avec celle-ci, il construirait sur l'île une maison qui accueillerait leurs onze enfants. Des Faiseurs de grands talents. C'est ainsi qu'apparurent un jour sur l'Île-aux-Oies, le Faiseur de balais, le Faiseur de colle, le Faiseur de fours à pain, le Faiseur de raquettes, le Faiseur de cannes à marcher, le Faiseur de pelles, le Faiseur de métiers et de rouets, le Faiseur de cercueils, le Faiseur de jougs à boeuf, le Faiseur de pipes de plâtre et le Faiseur de violons, une colonie d'artisans devenus indispensables à la vie des riverains.

Un regard sur soi, toutes portes ouvertes sur l'environnement

Un travail de réflexion personnelle est une activité incontournable à l'élaboration d'un projet professionnel. À ce travail doit être consacrée l'attention que nous saurions accorder à tout travail qui nous tient à coeur. L'acte qui consiste à découvrir ce que nous avons de mieux à offrir est une sorte de placement qui génère à très court terme des dividendes importants. Il est impressionnant de constater à quel point plusieurs personnes n'y croient pas. On me dit souvent: «*Je n'ai pas le temps pour ça, je dois travailler, moi!*», comme si la découverte de soi était un loisir à pratiquer le jour où il n'y a rien d'autre à faire. Il y a donc une énorme prise de conscience à faire de ce côté. Tout d'abord, travailler n'est pas un objectif, mais bien un résultat, atteint ou escompté. Pour que ce résultat devienne tangible, il faut inévitablement un objectif, un projet connecté à ce que nous sommes. «*Et pourquoi faut-il nécessairement un projet connecté à ce que nous sommes?*», me disent plusieurs. À cela, je réponds: «*Tout simplement pour trouver la motivation nécessaire à sa réalisation.*»

Pour que l'esprit d'entreprise, cette façon d'être qui fait que nous atteignons nos objectifs, retrouve sa place en chacun de nous, il est de première importance que ce que nous cherchons à atteindre ait un sens à nos yeux, une valeur quelconque qui mérite que nous y consacrions autant d'énergie. Pour atteindre le résultat escompté, c'est-à-dire travailler, nous devons engendrer un mouvement initial, une sorte d'énergie motrice.

Il y a en ce moment trop de gens qui démissionnent et s'avouent vaincus. On me répète souvent: «*Je ne suis pas un entrepreneur.*

Pour eux, c'est facile, ils sont comme ça!». Si les entrepreneurs trouvent la motivation, la ténacité et la persévérance nécessaires à l'atteinte de leurs objectifs, c'est d'abord qu'ils ont un projet intentionnel et qu'ils y croient. Ils croient par conséquent en eux. Ils développent leur projet à partir de ce qu'ils connaissent d'eux-mêmes et l'adaptent, le raffinent avec ce qu'ils apprennent en chemin. Les entrepreneurs ne sont pas des magiciens ni des chanceux. Ce sont des personnes mobilisées autour d'un projet qui leur tient à coeur. Beaucoup d'entre nous, lorsque les choses apparaissent trop simples, s'efforcent de trouver l'attrappe-nigaud. Nous aimons rendre complexe ce qui ne l'est pas. Nous cherchons si loin les «vérités», que nous oublions que nous sommes avant tout la première personne à consulter: «*Qui suis-je?*».

Comme tout projet s'inscrit dans le long terme d'une carrière et de la vie, force est de constater que le nôtre connaîtra des transformations certaines et souhaitables. Un projet, quel qu'il soit, n'est jamais statique. L'entrepreneur ajuste continuellement ses projets personnels, professionnels et familiaux pour les adapter à un environnement en mouvement continu et dynamique. L'absence de flexibilité dans l'élaboration d'un projet professionnel peut rapidement concourir à sa non-réalisation.

Plusieurs personnes m'ont maintes fois demandé: «*Quel est le meilleur projet professionnel? celui qui peut m'assurer le maximum de succès?*» Dans un contexte où les cadres de référence ont éclaté tout comme les certitudes qui y étaient associées, il est normal de souhaiter les remplacer par de nouvelles certitudes de manière à meubler le vide que nous ressentons devant un environnement qui semble changer plus vite que nous pouvons changer nous-même. Devant l'ambiguïté du monde professionnel actuel où les contrôles achoppent, les choix se redéfinissent, les secteurs d'activités économiques se repositionnent. Le meilleur projet professionnel devient celui qui répond à notre besoin d'engager ce que nous sommes dans une direction qui est signifiante pour nous.

Une étudiante m'informa un jour que son projet professionnel, axé sur l'offre de service en comptabilité, serait destiné au marché cible des entreprises liées à l'horticulture. Je lui demandai pourquoi elle avait opté pour ce marché parmi tous ceux susceptibles de lui permettre d'orienter son projet. Elle me répondit que l'un de ses loisirs préférés était la culture en serre des plantes, fines herbes et arbustes d'ornement. Elle ajouta qu'elle souhaitait un jour développer cette passion de manière à en vivre financièrement. Son projet s'inscrivait à l'intérieur d'un autre qui élargissait son horizon personnel en donnant à son projet un sens, une vision, une valeur significative. Elle avait fait un choix parmi tant d'autres, mais un choix qui devenait son propre cadre de référence, la raison d'être qui lui permettrait sans doute de trouver les outils nécessaires pour affronter chaque tournant ou obstacle professionnel, puisqu'il répondait à un besoin d'engagement signifiant. Même si en cours de route son projet devait changer, pour des raisons personnelles ou extérieures, elle aura fait l'expérience des choix et saura qu'il n'y a pas qu'une seule route possible, mais bien de nombreuses qui n'ont rien d'autre à offrir que d'accueillir notre besoin de nous y engager.

Théoriquement, toutes les voies sont bonnes.
En pratique, à un moment donné, vous n'avancez que sur une seule voie.
Tôt ou tard, vous n'êtes assuré de la découverte
que si vous voulez réellement trouver.
Sri Nisargadatta Maharaj

Le seul abri où protéger son projet contre les tempêtes du temps et des événements est en nous. Les seules certitudes et les meilleurs des choix seront ceux qui savent éveiller en chacun de nous ce qui en tout temps est prêt à s'exprimer, à vivre: notre esprit d'entreprise.

Pensons aux chercheurs. Comment peuvent-ils arriver à consacrer dix, vingt, trente années de leur vie à des recherches scientifiques meublées d'incertitudes, d'essais et erreurs, de recommencements certains et d'ajustements nécessaires? À l'aide de quoi s'affirment leur persévérance, leur ténacité, leur patience, leur rigueur? À quoi alimentent-ils leur détermination, leurs mille et une initiatives? Une simple réponse: ils croient en ce qu'ils font. Ils sont passionnés, sans doute ambitieux de trouver réponse à une problématique. Si leur projet de recherche n'était pas connecté à leurs besoins et intérêts fondamentaux, à ce qu'ils sont vraiment, il y a fort à parier que leur projet ne survivrait guère. L'exemple des chercheurs vise à mettre en relief que même s'il nous faut modifier plusieurs fois notre parcours de carrière afin de nous adapter, même si nous devons toucher à plusieurs domaines différents, même si nous faisons le choix de faire un retour aux études pour mettre à jour nos compétences ou en acquérir de nouvelles, nous ne saurons faire fausse route si ces choix répondent d'abord à nos besoins et à ce que nous sommes et pouvons devenir. Il est ensuite simple de pouvoir offrir ce en quoi nous croyons, ce qui n'a pas besoin de mots compliqués pour être exprimé puisqu'il se traduit de lui-même dans le non verbal de toute notre personnalité. Lorsque nous nous mobilisons pour un projet qui rassemble le meilleur de nous-même, l'enthousiasme naît et devient communicateur. Pourquoi devrions-nous alors nous en priver ou en priver les autres?

Plusieurs outils et formations sont mis à notre disposition pour mieux nous connaître et déterminer nos besoins. Nous pouvons aussi choisir de le faire de façon autonome. Peu importe la manière, le travail de réflexion personnelle est exigeant, plus facile à éviter qu'à aborder. Le temps et l'attention investis volontairement dans ce travail sont proportionnels aux bénéfices qui en seront tirés. La démarche de réflexion personnelle peut s'orchestrer autour de cinq thèmes.

1. **L'examen des expériences vécues:** Quels événements du passé m'ont le plus marqué positivement ou négativement? Quelles ont été les crises personnelles, professionnelles ou familiales traversées? Comment les ai-je surmontées? Quelle influence ces événements ont-ils eue sur mon comportement ou mes attitudes? Quelles ont été les personnes qui m'ont le plus influencé, positivement ou négativement? Quel est le résultat de cette influence sur moi, aujourd'hui? Quelles expériences personnelles, professionnelles ou sociales referais-je avec plaisir? Quelles sont celles qui sont choses du passé, terminées?

2. **L'analyse de mes forces et limites:** Quelles sont, parmi mes activités professionnelles, personnelles et sociales, celles qui me procurent le plus de satisfaction, le plus d'insatisfaction, d'angoisse? Quels succès ou réalisations ai-je accomplis? Dans quoi ai-je échoué? Qu'est-ce qui me motive? Quels sont les sujets qui me passionnent? Quels sont les produits que j'achète et pour lesquels j'aime me documenter, m'informer, comparer? À quoi est-ce que je consacre du temps sans avoir le sentiment d'en perdre? Qu'est-ce qui, pour moi, est synonyme de perte de temps? En dessinant un cercle que je divise ensuite en quatre cadrans, je nomme les dimensions les plus importantes de ma vie. Je répartis ensuite, pour un total de 100 %, le pourcentage d'intérêt que j'accorde à chacune de ces dimensions. Je questionne ensuite ce que chacune de ces dimensions représente pour moi en termes de valeurs.
3. **Les relations avec les gens:** Que disent de moi ceux qui me connaissent bien? Pour quelles raisons les gens me consultent-ils? Qu'est-ce que j'apporte aux autres? Avec quel type de personnes est-ce que je me sens le plus moi-même? Avec quelles autres ai-je de la difficulté à établir des relations?
4. **Les essais et risques calculés:** Que pourrais-je sacrifier pour atteindre mes objectifs? Dans quel type d'activités suis-je à l'aise pour prendre des initiatives, faire des essais? Qu'est-ce qui, pour moi, est synonyme de grands risques? Quelles sont les questions auxquelles j'aspire à trouver des réponses? Quel type de projets pourrait nourrir mon attention pour un bon laps de temps?
5. **De la fiction à la vision:** Quel est mon rêve? Dépend-il de moi? Qu'est-ce qui m'empêche d'y aspirer? Quelle vision ai-je de moi-même, de mon rôle dans la société? À quoi ou à qui suis-je utile dans ce rôle?

Bien sûr, d'autres thèmes et d'autres questions peuvent être ajoutés ou reformulés avec plus de précision ou de façon plus personnelle encore. L'important est d'avoir le sentiment d'avoir réalisé, à vol d'oiseau, un voyage au-dessus de nous-même en prenant ça et là des photographies dont l'ajustement du focus n'en tient qu'à nous.

Un travail de réflexion personnelle bien activé est celui qui mène vers une ouverture à notre environnement, sans quoi il s'autosuffit et nous éloigne d'une réalité qui nous dépasse et dont nous avons pourtant besoin pour donner un sens à ce que nous sommes. Une vision entrepreneuriale du travail devient une sorte d'antidote au face-à-face avec le vide. Cette vision nous invite à entendre ce que nous n'écoutons plus, à observer attentivement ce qui vit autour de nous. En fait, une vision entrepreneuriale du marché du travail consiste à regarder les choses à l'envers. Après avoir été longtemps habitué à poser un regard sur l'environnement pour trouver notre place ou nos réponses, il s'agit maintenant de faire l'exercice en posant un regard sur nous, projeté ensuite, toutes portes ouvertes, sur notre environnement. En peu de temps, le vide auquel nous faisons face se transformera graduellement en plein. Dans ce plein se définiront entre autres des besoins, des insatisfactions, des problèmes auxquels nous pouvons trouver réponse.

Une vision entrepreneuriale du marché du travail mène au développement d'une attitude d'écoute de soi et des autres. Sans que nous nous y efforçions, cette vision conduit à la rupture avec certaines illusions paralysantes. Lorsque nous posons un regard différent sur le monde du travail en le considérant comme un marché en constante évolution et dans lequel les besoins se dessinent au fur et à mesure de sa transformation, nous prenons conscience qu'il existe de nombreux besoins non comblés. Des besoins auxquels nous pouvons associer nos propres besoins, nos connaissances, nos compétences et notre savoir-être. Partout les gens disent que les fonds sont gelés, qu'il n'y a pas d'argent disponible? C'est vrai! Il n'y a plus d'argent disponible pour la dépense. Or, un projet qui répond à des besoins identifiés ne saurait être une dépense.

Les rôles sont inversés. La balle est maintenant dans notre camp. Le marché du travail ne doit plus être perçu comme un fournisseur de perspectives professionnelles clairement déterminées. Le marché se fait acheteur de services et nous devenons ses fournisseurs. Des fournisseurs qui sauront répondre à des besoins si nous apprenons d'abord à connaître les nôtres. Ce n'est que par la suite que nous pourrons nommer nos produits, notre marché, nos propres clients. Tout ce qui fait tourner l'économie, ce qui a un rôle ou qui justifie une fonction organisationnelle n'existe que pour répondre à des besoins. Là où les besoins sont satisfaits, un rôle s'éteint. Les besoins suivent un mouvement continu calqué sur celui de la vie et de ses cycles. Les besoins sont un moteur qui donne sa raison d'être au travail d'une personne, à l'existence d'une entreprise, à la transformation d'une économie.

Le plus grand défi d'une société
n'est pas d'identifier ses besoins, puisqu'ils sont illimités.
C'est d'apprendre à composer avec la rareté de ses ressources.
S.D.

Dans certains milieux, on s'évertue encore à apprendre aux gens comment créer des besoins. Que d'énergies démobilisées! Les besoins ne se créent pas. Ils sont là à attendre que nous leur accolions un projet. Il ne s'agit pas de créer des besoins, mais plutôt de répondre à ceux présents en nombre illimité. Il vaudrait mieux apprendre aux gens comment aller à leur découverte ou mieux encore, à s'intéresser foncièrement aux besoins des autres. N'y aurait-il pas là, un créneau de marché à explorer?

Les besoins ne sont pas toujours exprimés par le client lui-même. Au contraire, l'activité du quotidien occupe tellement de place que la seule pensée d'améliorer une façon de faire ne vient tout simplement pas. Même si nous avons conscience d'un besoin, nous reportons cela au jour où nous pourrons trouver du temps pour mieux y réfléchir. Puisque du temps, ça ne se trouve jamais et que c'est plutôt quelque chose qu'il nous faut prendre, le besoin reste là, non comblé.

Il y a reconnaissance d'un besoin et manifestation d'une réponse quand, à titre de fournisseurs de services, nous offrons à un client potentiel la possibilité de servir ses intérêts tout en servant les nôtres comme le relate la petite histoire suivante.

Si les anciens nous revenaient
Je sais d'avance ce qu'ils préféreraient
C'est la chandelle.
Car ça leur rappellerait toujours
Le souvenir de leurs anciennes amours
À la chandelle.
Tiré d'une chanson du folklore québécois
Les belles chandelles

«T'es pas tanné, papa, de faire ça toute la journée? Plonge ici! Plonge là! Tu répètes la même chose sans arrêt!

— T'as une meilleure façon de faire des chandelles? Moi, je n'en connais qu'une: tremper la mèche dans le suif chaud, puis ensuite tremper la mèche dans l'eau froide. Et on recommence comme ça, jusqu'à la grosseur voulue.

— Quand je serai grand, je ne serai pas chandelier.

— Tu seras quoi?

— Je serai celui qui inventera quelque chose pour améliorer ce métier. Je ne crois pas qu'on doive plonger du suif à la cuve d'eau, comme ça toute sa vie. Ça prend un temps fou!

— T'es pressé?

— Non, mais je pense que les chandeliers pourraient avoir du temps pour faire autre chose si on améliorait leurs conditions de travail.

— Qu'est-ce qu'ils pourraient faire de ce temps, les chandeliers?

— J'sais pas moi, j'suis pas chandelier.

— T'as un p'tite idée?

— Ils pourraient aller à la pêche avec leurs enfants. Comme ça, tous ensemble! Regarde! J'ai justement avec moi nos deux cannes en bambou.

— Si tu cesses de me déranger, peut-être qu'on pourra y aller avant la soupe.

— C'est vrai! Tu dis oui?

— Si tu me laisses plonger ce gros paquet de mèches.

— Papa, t'as pas remarqué quelque chose?

— J'ai bien sûr remarqué que tu me fais perdre du temps!

— T'as perdu. C'est pas ça.

— Quoi encore, futur génie?

— T'as vu les tubes des cannes à pêche?

— Je ne vois plus que cela.

— Ils ont la même grosseur que tes chandelles. Si on les coupait à la longueur voulue en bouchant une extrémité et qu'on grattait comme il faut l'intérieur du bambou, on pourrait y faire couler le suif. Une fois refroidi, on n'aurait qu'à ouvrir le bambou pour sortir la chandelle de là!

— Pas bête, mais ça prendrait des quantités énormes de bambou. Et ça, nous n'en avons pas par ici.

— Allons tout de suite à la pêche, papa. Ça nous aidera à réfléchir! On trouvera bien quelque chose dans quoi couler nos chandelles.

— Comment ça, "nos" chandelles? Tu as dit que tu ne seras pas chandelier.

— C'est vrai. Je ne serai pas chandelier. Le futur inventeur des moules à chandelles qui se dresse là devant vous, très cher père, exercera un droit d'invention sur chaque chandelle fabriquée et vendue par le chandelier. De plus, il aura tout privilège de parler des chandelles comme si elles furent les siennes, étant à la base celui qui aura permis leur multiplication. C'est normal, papa!

— Et, ca va me coûter combien, ce droit de génie?

— Pour toi, ... disons... cinq parties de pêche par semaine?

— Une semaine compte sept jours, mon grand! Cinq sur sept, ça m'apparaît cherrant.

— Papa, les génies ont le droit de vivre comme tout l'monde!

— Justement, ils ne vivront pas comme tout l'monde s'ils sont toujours à la pêche.

— Avoue, papa, que toi et moi... on n'est pas comme tout l'monde!»

CHAPITRE II

LA MISE EN MARCHÉ DE NOS SERVICES

La mise en marché de nos services est une démarche stratégique entrecoupée d'étapes dans lesquelles nous apprenons à faire la collecte d'information, à faire des choix adaptés à nos services et destinés à rejoindre nos clients. En approchant le marché du travail avec les lunettes de l'entrepreneur, la mise en marché de nos services devient l'étape active dans laquelle nous élaborons le projet déjà défini ainsi que les services que nous voulons offrir dans le cadre de ce projet.

Pour trouver son articulation, l'étape de mise en marché de nos services se modèle sur le plan d'affaires utilisé par l'entrepreneur. Nous croyons à tort qu'un plan d'affaires n'est utile qu'à justifier une demande de crédit et à faciliter la prise de décision des gérants de banque. L'élaboration d'un plan d'affaires a d'abord comme grand avantage de permettre au promoteur de préciser ses démarches et de rendre spécifique l'orientation de son projet. Du mode «réflexion-définition» préalable au projet, le plan d'affaires ouvre l'accès au mode d'«action-communication»: collecte d'information, recherche de réseaux, étude de marché, sondages, promotion. Le promoteur du projet doit donc non seulement approcher le secteur ainsi que le marché qu'il compte desservir, mais aussi apprendre à les connaître s'il veut s'assurer que son offre réponde effectivement à une demande.

Les étudiants que je rencontre maîtrisent rapidement le processus de mise en marché de services en simulation de cas. Pour leur faire acquérir les notions de base transférables à la mise en marché de leurs propres services, je procède avec eux à une activité de remue-méninges dans laquelle nous devenons tous des entrepreneurs à la recherche d'un projet à réaliser. Pour alimenter notre recherche d'idées, nous faisons un bref tour d'horizon sur notre société afin de déterminer des besoins ou des pistes susceptibles de nous mener à l'identification d'un projet permettant l'ébauche de services à offrir. Des idées de projets jaillissent et nous procédons ensuite à une sélection. C'est autour d'un même projet qui suscite chez eux une motivation que les étudiants se regroupent pour former équipe. La période de créativité terminée, il y a de la magie dans l'air! L'expression de leurs idées et parfois de leurs rêves semble être devenue quelque chose de concret, de palpable, de réalisable, du seul fait de se retrouver traduits sous forme de services à offrir. Les étudiants deviennent en quelques instants ces entrepreneurs qu'ils se donnent le droit d'être. Ils ont une mission à partager, un but à atteindre et jouent le plus sérieusement possible à faire semblant. Je suis à chaque fois surprise de leur participation soutenue, de la façon dont ils s'y prennent pour donner un sens à leurs idées et suis la première étonnée de constater comment ils savent parfaitement ce qu'ils ont à faire pour mettre en marché leurs produits ou services de façon dynamique, organisée, réaliste et, surtout, avec esprit d'entreprise.

Les équipes nous présentent ensuite, à tour de rôle, la stratégie de mise en marché qu'ils ont adoptée. Chaque participant est à même de constater son degré de maîtrise de l'approche. Si l'objectif de formation était en ce sens, nous pourrions dire qu'il est, à chaque fois, bel et bien atteint. Ce serait le bonheur total en contexte d'apprentissage s'il n'y avait pas de suite au programme! Or, il y en a une. Et si les participants ont atteint l'objectif de l'activité, l'objectif du programme de formation ne l'est pas encore. Le pire survient lorsque chaque participant réalise qu'il doit maintenant s'approprier individuellement ce qu'il a réussi dans l'activité pour l'appliquer à un projet qui lui tient à coeur: un projet professionnel.

En expérimentant l'attitude qui permet de donner vie à un projet, ils réalisent qu'ils sont en fait leur propre maître d'oeuvre et qu'ils possèdent le savoir-faire propice à la réalisation de leur projet. S'ils savent qu'en chemin, ils mettront en valeur leurs forces créatrices, ils savent aussi qu'ils devront affronter leurs peurs et apprendre à les dépasser.

Claudia était étudiante en bureautique et comptabilité lorsque je l'ai rencontrée. Elle avait auparavant enseigné durant plusieurs années à l'université à titre de chargée de cours en histoire de l'art. Elle s'était volontairement retirée de l'enseignement car elle avouait y vivre de plus en plus d'insatisfactions. Elle me dit que son retour à temps plein aux études coïncidait avec une période de transition à la fois personnelle et professionnelle. Elle désirait se repositionner par rapport à certains de ses choix. Quand je lui ai demandé dans quel projet s'inscrivait son choix pour la bureautique, elle me répondit que son conjoint avait besoin d'assistance à ce niveau au sein du bureau d'ingénieurs dont il était le président. À ma question sur son degré de confort par rapport à ce choix, elle me répondit que ce choix en valait un autre puisque le plus important pour elle était de se sentir active professionnellement et indépendante financièrement.

Le moment venu de procéder à l'élaboration d'une démarche stratégique de mise en marché de ses propres services, Claudia afficha une incapacité à faire des choix et manifesta un haut degré d'inconfort vis-à-vis du travail à réaliser. Ceci l'amena à se refermer sur elle-même. Au cours d'une rencontre, elle émit de vives protestations au sujet de la démarche, la jugeant exigeante et sans valeur utilitaire. Ce jour-là, après le cours, elle vint s'excuser pour son attitude et me posa quelques questions concernant son premier travail de session, soit celui dans lequel elle avait défini son profil personnalisé de carrière.

Après le cours qui suivit, nous eûmes un nouvel échange concernant sa transition de carrière. Elle me confia que son choix pour la bureautique était en fait une excuse justifiée faite à son conjoint pour se donner du temps de réflexion sur elle-même et sur l'orientation qu'elle voulait donner à sa vie professionnelle. Elle m'avoua être consciente que ce n'était peut-être pas la meilleure façon de faire, mais c'était la seule qui lui avait semblé la bonne pour ne pas soulever chez son partenaire des questions auxquelles elle n'avait nulle réponse pour le moment. En prévision d'un exercice prochain, je lui demandai si elle pouvait réfléchir à un projet basé exclusivement sur un rêve qui rejoignait l'une de ses passions, lui disant de ne pas tenir compte de la faisabilité du projet, de l'environnement ou de quelconque contrainte.

Quelques semaines plus tard, elle prit part à l'exercice en présentant son rêve. En fait, ce qu'elle présenta était le fruit d'un rêve qui, au gré de ses réflexions, l'avait conduite à la définition d'un projet tout à fait réalisable. Elle présenta donc un projet dans lequel elle offrait ses services à titre de technicienne à la coordination du travail de bureau. Son marché cible était les agences de production artistique. Elle en avait recensé plus de trente-cinq sur le territoire qu'elle ciblait et procédé à une première étude de marché sur la nature de leurs activités respectives. Le plan de promotion de ses services mettait l'accent sur des entrevues d'information ayant pour objectif de réaliser un sondage sur les besoins du milieu. Elle justifia le bien-fondé de son projet en affirmant que son intérêt pour l'histoire de l'art avait suivi le parcours de l'enseignement par défaut d'oeuvrer sur le terrain dans le domaine des arts à la fin de ses études et que son rêve premier avait toujours été de participer à la coordination de projets artistiques et d'être en contact avec des créateurs. Sa formation actuelle, selon elle, lui servirait de tremplin pour accéder à ce milieu en plus d'apporter à ses services les notions et outils techniques qui lui manquaient pour être efficace dans sa nouvelle orientation. Claudia est allée chercher des appuis au sein de son réseau de contacts, et sa façon de valider son orientation a d'abord été de réaliser un stage dans le milieu. Son expérience se révéla positive et on lui offrit un contrat à temps partiel.

Le cas de Claudia ressemble à quelques différences près au cas de plusieurs autres personnes qui prennent des routes embrumées, meublées d'ambiguïté, et qui, en chemin, trouvent une direction. De tous les gens que j'ai pu croiser en entretien individuel ou en intervention auprès de groupes, rares étaient les personnes qui avaient une vision claire de ce qu'elles voulaient et de là où elles voulaient aller. Il en ainsi actuellement pour bon nombre de gens parce que l'on ne nous a pas appris à savoir ce que nous voulons. L'éducation reçue visait plutôt la conformité, c'est-à-dire prendre des voies tracées, encastrées de balises. Heureusement pour nous et pour les générations à venir, nous redécouvrons que nous avons en nous ce qu'il faut pour remédier à cela.

Comme dans l'histoire de la petite chenille inquiète, savoir n'est rien si nous ne sommes pas connecté à notre destin ou à notre expérience personnelle. Il est beaucoup plus important de faire confiance à ce que nous sommes, à nos valeurs, nos besoins, nos sources d'intérêt. Les routes éclairées sont rares, mais il suffit souvent de s'engager sur l'une d'elles avec authenticité, en rendant conscientes nos peurs et nos résistances, pour y voir se dessiner des avenues, des boulevards, des intersections auxquels nous pourrons éventuellement donner des noms.

Le projet d'Isabelle

Isabelle avait défini le projet d'offrir ses services à titre de commis-comptable. Son choix de marché cible fut rapidement identifié et affichait une précision que j'ai rarement pu rencontrer. Isabelle avait une passion pour les papiers fins. Elle entretenait des relations épistolaires avec de nombreux correspondants partout dans le monde depuis son adolescence et avait développé un grand plaisir à sélectionner son matériel de correspondance avec soin, priorisant les couleurs, les textures, les formes de papier ou les dessins de fond, les associant à ses états d'âme, aux événements saisonniers, etc.

Bref, elle projeta d'offrir ses services aux différentes entreprises qui fabriquent, distribuent, assurent le commerce de gros ou vendent au détail des papiers fins. Elle identifia les clients répartis dans ce secteur et commença son étude de marché. Ses démarches allèrent bon train et un fabricant retint ses services dans le cadre d'un stage, étape obligatoire, dans son cas, à l'obtention de son attestation d'études collégiales. Le fabricant en question lui dit toutefois qu'elle ne devait s'attendre à aucune offre d'emploi au terme de son stage, ses besoins en services comptables étant comblés pour l'instant.

Entre-temps, une amie d'Isabelle la mit en contact avec une entreprise de recherche pharmaceutique intéressée à accueillir les services d'une stagiaire en comptabilité. Isabelle accepta de rencontrer le responsable de la comptabilité bien qu'elle eût déjà trouvé son stage dans le domaine qui l'intéressait. Au terme de la rencontre, le responsable lui offrit la possibilité de réaliser un stage, lequel était accompagné d'une offre d'embauche par la suite.

Isabelle me téléphona, troublée, et me demanda conseil. Elle souligna qu'elle était seule à assurer ses besoins financiers et qu'elle devait travailler après son stage. À ma question sur ce qui la troublait relativement à la décision d'accepter l'offre de l'entreprise pharmaceutique, elle mit en évidence que cette entreprise faisait de la recherche sur les animaux pour tester ses produits. Elle mit en lumière la partie de son profil personnel qui concerne ses valeurs dominantes, ajouta qu'elle avait fait partie d'un mouvement écologique pour la défense des espèces en voie de disparition et me dit se rappeler combien j'avais souligné la place des valeurs dans la qualité de la vie professionnelle.

Isabelle savait que je ne déciderais pas pour elle et termina la conversation de façon raisonnée, mentionnant que dans le cadre de ses fonctions, ce n'était pas elle qui ferait les tests sur les animaux. Deux semaines après le début de son entrée en stage dans l'entreprise pharmaceutique, Isabelle me donna un coup de fil. Elle sanglotait et me dit qu'elle n'en pouvait plus et désirait quitter son stage. Elle me confia:

«Tu sais, c'est vrai que ce n'est pas moi qui fais les tests sur les animaux. Mais tu sais quoi? C'est moi qui cumule les données statistiques sur les taux de mortalité selon les essais avec différents produits. Ce n'est pas tout. L'information que je comptabilise a aussi pour objectif de veiller au réapprovisionnement en différents types d'espèces.»

Isabelle termina malgré tout son stage, mais refusa l'offre d'emploi. Nous ne nous sommes pas revues par la suite puisque son programme de formation prenait fin avec son stage. Je reçus cependant de ses nouvelles quelques mois plus tard... sur du papier fin.

En voici textuellement le contenu:

«Bonjour Sylvie, je tiens à te remercier pour ce que tu m'as permis d'apprendre. Je veux aussi te dire que je me suis trouvé un emploi: rien de grandiose, mais un "job" honnête! Je te souhaite une bonne fin d'été!»

Le papier était décoré d'un petit bonhomme sourire.

J'intervenais en counseling individuel dans une grande entreprise de distribution qui devait fermer ses portes lorsque Gérard entra pour sa première rencontre dans le bureau mis à ma disposition. Gérard avait quarante-sept ans, avait terminé ses études primaires et comptait vingt années de service pour le même employeur. Dès son entrée dans mon bureau, il afficha une personnalité confiante et entreprenante. Il n'attendit pas que je l'invite à s'asseoir et prit d'assaut le contrôle de la conversation.

«Bonjour ma p'tite dame! Moi, c'est Gérard, pileur professionnel, à votre service!» Je lui dis avouer méconnaître le rôle d'un pileur professionnel et lui demandai de me parler de son travail. Je venais d'ouvrir là une porte qui me permit de devenir en l'espace d'une heure la réceptrice que je rêve chaque fois d'être lorsqu'on me parle de ses choix, de son métier, de sa profession avec ce quelque chose qui ressemble à une foi inébranlable.

Alors que les collègues avec qui Gérard partageait les mêmes fonctions présentaient leurs services comme étant ceux de journaliers prêts à travailler dans «n'importe quoi», Gérard, pileur professionnel, souhaitait se mettre à la recherche non pas d'un emploi, mais d'un employeur qui saurait reconnaître les bénéfices qu'il peut retirer d'un bon pileur professionnel. Il mit en évidence sa capacité à veiller professionnellement aux activités de stockage à l'intérieur de conteneurs, notamment en ce qui concerne les calculs visant à maximiser l'espace de stockage et la répartition du poids des marchandises afin de rentabiliser les opérations et d'éviter tout risque suscepible d'affecter la qualité des marchandises à leur réception chez le client. Il m'exposa ses qualités, ses aptitudes et me décrivit longuement combien son patron lui avait fait confiance et n'en avait jamais été déçu. Il ne me posa qu'une seule question: «*Pouvez-vous me dire s'il y en a d'autres, des "boss" comme j'avais?*»

Je parle beaucoup de l'attitude dans mes interventions, parce que je crois, avec une foi inébranlable moi aussi, qu'en dépit de caractéristiques présentées comme pouvant affecter l'employabilité (âge, scolarité, ancienneté, mobilité, expérience, etc.), l'attitude avec laquelle nous abordons notre projet professionnel et le marché du travail est, de loin, ce qui trace les frontières de notre insertion ou réinsertion dans le marché du travail.

Le projet de Simon

Simon avait un poste de cadre dans le secteur de la santé et des services sociaux. Il avait reçu une bonne indemnité de cessation d'emploi accompagnée de la possibilité de recourir à un service de réaffectation, lequel était à son choix. Il prit rendez-vous avec moi pour une rencontre d'information sur mes services. Il me rappela deux semaines plus tard afin que nous amorcions le processus. Les rencontres allèrent bon train et tout se passa comme prévu à l'entente de services.

Simon se sentit enfin prêt à entreprendre la mise en marché de ses services. Ses démarches l'amenèrent à réaliser plusieurs entrevues d'offre de services. Malgré qu'il se montra à l'aise en entrevue et confortable dans la présentation de ses services, ses démarches ne le menèrent à rien. Soit que les opportunités d'emploi ne l'intéressaient pas, soit que les entreprises ne retenaient pas ses services. Un auto-examen de chacune de ses entrevues ne lui permit pas de déterminer ce qui clochait. Je lui suggérai de revoir les étapes initiales qui l'avaient conduit à définir son projet.

Nos échanges conduisirent Simon à rendre conscient son véritable objectif, soit celui de démarrer sa propre entreprise, d'être son propre patron. Cet objectif sommeillait en Simon depuis longtemps, mais en raison des nombreuses années où il avait bénéficié d'une solide sécurité financière, la possibilité de se lancer en affaires représentait à ses yeux un risque qui l'amenait à nier cette possibilité. Sans qu'il en soit conscient, son véritable objectif compromettait son authenticité en entrevue ou le rendait insatisfait par rapport aux mandats qui lui étaient proposés.

Nous reprîmes le processus en explorant son potentiel entrepreneurial et Simon se permit d'explorer un projet dans lequel il pouvait calculer les risques et définir différentes possibilités afin de répondre à ses besoins. Huit mois plus tard, après avoir étudié trois pistes de projets, Simon décrochait un contrat pour l'ouverture d'une maison de transition pour jeunes adultes en quête d'insertion sociale.

Les choix que nous faisons créent-ils notre réalité? Est-ce la réalité qui attire notre attention sur des choix que nous évitons? Le courant de pensée de la programmation neurolinguistique nous dit que nous créons ce que nous voulons atteindre en nous reconnaissant seul responsable de notre vie et de notre réalité actuelle. Dans cette ligne de pensée, il conviendrait, devant une impasse, d'examiner nos décisions initiales à la lumière de la réalité afin de mettre le doigt sur ce qui nous a empêché de créer ce que nous avions décidé.

De façon consciente, nous déterminons des objectifs à atteindre et prenons des décisions. Toutefois, l'inconscient créateur serait cette partie de nous qui travaille à la réalisation de ce que nous avons décidé. Si notre intention n'est pas signifiante, c'est-à-dire si nous croyons plus ou moins à ce que nous décidons, la motivation par rapport à cet objectif sera par conséquent faible. Il semble alors inévitable d'arriver à des résultats peu concluants. Autrement dit, s'il y a contradiction entre nos vrais désirs et ce que nous décidons, l'inconscient créateur ne fera rien d'autre que de refléter une réalité pleine de contradictions.

En prenant conscience de nos véritables désirs, de nos croyances et de nos motivations et en leur accordant le temps et l'importance qu'ils méritent, nous libérons ce pouvoir que nous avons de créer une réalité à notre mesure.

Le projet de Valeriu

Valeriu était un ingénieur d'origine roumaine arrivé au Canada depuis moins d'un an. Il avait décidé de se réorienter dans le développement d'applications micro-informatiques. Je l'ai rencontré à l'occasion de son programme de formation dans le cadre duquel j'animais un cours sur la mise en marché de services.

Dans le pays d'origine de Valeriu, les questions relatives à la carrière sont davantage gérées par l'État que par l'individu lui-même.

Valeriu comprit qu'au Canada, chaque personne doit apprendre à s'orienter elle-même, à définir ses choix et à mettre en action un projet susceptible de l'intéresser.

Puisque Valeriu avait souvent mis à l'épreuve sa capacité d'adaptation dans son pays tout comme ici, il s'engagea avec ouverture dans le processus du cours malgré quelques craintes évidentes dont la plus marquée était celle d'avoir à passer à l'action, c'est-à-dire de mettre en marché ses services, ce qui inclut toute démarche visant à les promouvoir. Valeriu s'engagea à chaque étape du processus, puis vint le jour où il dut expliquer au groupe la démarche qu'il avait utilisée pour réaliser son étude de marché par téléphone. Voici un extrait assez fidèle de ce qu'il adressa au groupe:

«*J'avais la trouille. Je ne me sentais pas capable de prendre le téléphone pour poser mes questions. Je me suis enfermé dans ma chambre avec un petit tabouret que j'ai placé au centre de la pièce, puis mis le téléphone dessus. J'ai tourné, tourné et encore tourné autour du tabouret en fumant cigarette sur cigarette. La pièce était tout enfumée. C'est à peine si j'arrivais à respirer. Puis, dans un geste désespéré, j'ai ouvert la fenêtre, pris une grande respiration et me suis précipité sur le téléphone. J'ai aussitôt rejoint le premier directeur des services informatiques inscrits sur ma liste qui, après cinq minutes de conversation, me proposa lui-même une rencontre afin de mieux discuter de mon projet. Pas besoin de vous expliquer ma réaction. Que mon projet se réalise ou pas, tout ce qui est vraiment important, c'est que pour la première fois de ma vie, j'ai osé demander à être écouté. Et ça, pour moi, dans la culture qui est la mienne, ça prend parfois un foutu courage!*»

Dépasser les murs de nos peurs exige effectivement beaucoup de courage. J'ai longtemps interrogé ce qu'est ce courage qui semble se blottir loin en nous et qui, un jour, sous la forme d'un geste désespéré, révèle sa présence, s'affirme à nous. Nous avons plusieurs conceptions différentes du courage ou de l'acte courageux. Nous excusons son manque, nous disons en vouloir, ne pas en avoir et nous y rêvons comme s'il était quelque chose d'extérieur qui viendra à force de le mériter.

Pourtant, le courage est la capacité d'une personne à avancer malgré le désespoir qui l'habite. Le courage n'est-il pas aussi une conséquence, un aboutissement, ce qui vient après que nous ayons mis fin à un duel avec nous-même, avec ce que nous avons appris à être dans un environnement qui a été le nôtre, quel qu'il soit?

Ce duel qui prend fin crée à l'intérieur de nous une brèche, un passage où se plaît à circuler librement une énergie nouvelle qui, comme l'a dit Valeriu, n'a pas besoin d'explications.

Le projet de Louis

J'ai rencontré Louis à plusieurs reprises en entrevue individuelle. Il venait de perdre son emploi de préposé au service à la clientèle pour une compagnie aérienne. Bien qu'il disait comprendre et accepter la démarche proposée au processus de consultation, Louis affirmait ne pas vouloir déterminer de projet concret, sous prétexte qu'il ne désirait pas nuire à ses chances de trouver un emploi. Déterminer un projet, cibler un marché, mettre en place une stratégie d'action afin d'assurer la mise en marché de ses services, ces actions étaient, pour lui, synonymes de limites.

«*Je suis prêt à faire n'importe quoi, n'importe où, peu importe, je suis totalement ouvert, je veux juste travailler. Si je cible une orientation, je pourrais me priver d'autres orientations fort intéressantes.*»

Je lui précisai qu'il n'était pas exclu de cibler plus d'un projet, à condition de bien vouloir mener de front plus d'une étude de marché si les secteurs choisis sont différents. Même le fait d'envisager plusieurs possibilités de projet ne semblait pas lui convenir.

«*Je suis ouvert et flexible,* me répétait-il. *Votre démarche n'est tout simplement pas appropriée dans mon cas.*»

Je lui demandai s'il voulait mettre fin au processus afin de pouvoir se concentrer comme il le voulait à ses démarches. Il accepta, et je l'invitai à me téléphoner s'il le jugeait valable. Ce qu'il fit, trois mois après que mon mandat avec la compagnie aérienne fut terminé.

«*Je m'excuse de vous déranger,* me dit-il, *je sais très bien que votre mandat a pris fin, mais je tenais à vous dire que je viens de compren-*

dre ce que vous avez tenté de m'expliquer. J'ai mis des énergies à droite et à gauche, un peu partout, comme je le voulais, et je n'ai pas eu une seule entrevue. J'ai tout laissé tomber pour réfléchir à ce qui n'allait pas et, soudain, je me suis revu chez mon ancien employeur (la compagnie aérienne) et j'ai allumé! Lorsqu'un client venait acheter un billet d'avion ou obtenir de l'information sur une destination, je lui demandais aussitôt où il voulait se rendre ou c'est le client qui me le disait lui-même. Si j'avais rencontré un client qui m'aurait dit vouloir aller n'importe où, je n'aurais vraiment pas su l'aider, puisqu'il existe tellement de destinations, chacune différente, selon les besoins de chacun. Je crois que tout ce que j'aurais pu lui répondre, c'est de consulter une agence ou un conseiller en voyages. C'est tout ce que j'avais à vous dire. Enfin, c'était important que je vous le dise. Je sais maintenant ce que j'ai à faire.»

Le cas de Louis n'est pas isolé, bien au contraire. En croyant se limiter, des gens ouvrent si grandes les portes de leur flexibilité que cela produit l'effet contraire à celui escompté. L'ouverture et la flexibilité sont des atouts indéniables lorsque appliquées à un projet. Il faut seulement qu'il y ait projet. La difficulté principale que connaissent les gens n'est apparemment pas d'avoir un projet. Les possibilités sont là, tout comme les destinations de voyages. Or, l'exploration de projets est inévitable afin de pouvoir prendre une direction, une destination qui réponde à plusieurs de nos besoins ou même à un seul.

Choisir n'est pas le plus grand défi. Le plus grand défi, c'est de nous permettre d'explorer et de nous donner le droit de découvrir ce qui est susceptible de nous rejoindre. Le temps qui y est consacré se nomme «investissement», jamais «temps perdu».

Un plan d'affaires stratégique

Un entrepreneur sans plan d'affaires,
c'est comme un promoteur de services sans stratégie.
Tout ce que les deux réussissent à faire,
c'est une série de sauts en bungee!

S.D.

Six étapes sont nécessaires à la mise en marché de nos services*. Ce sont les suivantes:

- la définition du projet;
- la description de nos services;
- l'identification du secteur d'activité et l'étude d'un marché cible;
- l'identification du territoire visé;
- l'élaboration de la liste des entreprises retenues;
- la communication avec les clientes et clients potentiels.

À la manière de l'entrepreneur qui aspire à mettre en marché ses produits ou services, la personne qui vise à s'insérer dans le marché du travail utilise un plan d'affaires pour donner à son projet une orientation stratégique. Quantité de projets et d'idées restent malheureusement au stade du rêve parce qu'ils ne font pas l'objet d'une mise en forme. Un projet reste un projet tant que la personne ne se permet pas de lui donner un sens.

En définissant son rêve, son intention ou tout simplement son objectif, la personne confère à son projet une existence propre. Si le projet est définissable et viable, c'est que son articulation doit suivre. Vient donc l'expression des caractéristiques de ce projet (la description de ses services), les avantages, les forces et les acquis que son promoteur entend y associer. La définition du projet et sa description amènent la personne à clarifier sa vision ou ses intentions professionnelles et à définir son rôle. Elle concourt donc, par ce fait, à rendre son projet de plus en plus spécifique. Ce n'est que par la suite, en le réalisant pas à pas, c'est-à-dire en le confrontant au marché, que ce projet prendra sa véritable expression.

La personne prend conscience de l'importance d'adopter une orientation stratégique lorsqu'elle comprend que pour mettre ses services en marché, ceux-ci doivent répondre à des besoins. À ces besoins se greffent un marché, un territoire, un bassin de clients potentiels; ceux vers qui assurer une promotion efficace de ses services.

Le plan d'affaires invite la personne à mobiliser ses ressources personnelles, à rassembler l'information pertinente et à organiser ses actions dans le but de les rendre efficaces. C'est en processus de réalisation qu'elle découvre comment adapter ses comportements et

* Voir l'ouvrage **Trouver, créer son travail par l'esprit d'entreprise** publié chez Les Éditions Septembre pour l'explication des différentes étapes de la mise en marché de nos services.

attitudes. Le plan d'affaires est un outil de réflexion et d'orientation stratégique qui permet la réalisation d'un projet.

Chaque plan d'affaires est unique puisqu'il est le reflet des caractéristiques personnelles et professionnelles du promoteur de projet, de ses objectifs et des choix stratégiques préconisés à chacune des étapes. À titre d'exemple, voici le résumé du plan d'affaires de Laura.

La définition du projet de Laura

Laura aspire à offrir ses services pour l'implantation d'un programme d'assurance qualité basé sur la certification des entreprises aux normes ISO.

La description de ses services

Sur le plan de la scolarité, Laura possède une formation d'ingénieure spécialisée en génie industriel et termine actuellement une formation en contrôle de la qualité. Sur le plan professionnel, elle compte huit années d'expérience en gestion industrielle, dont trois à titre de superviseure de production. Dans son offre de service[7], Laura décrit ses aptitudes techniques ainsi que les réalisations professionnelles dont elle est fière. Elle souligne les qualités professionnelles qui la caractérisent le mieux et qui ajoutent de la valeur à son projet. Sur le plan humain, Laura fait valoir ses valeurs personnelles et professionnelles, son approche vis-à-vis de l'implantation des changements, sa vision d'une équipe efficace ainsi que les modes de communication qu'elle favorise. Enfin, elle conclut en définissant l'importance de son rôle et les résultats qu'elle entend générer par la réalisation de son projet.

7. L'offre de service pourrait être ici synonyme de c.v. marketing. L'appellation curriculum vitae est tirée de la racine latine qui veut dire: historique de vie. Puisque par l'esprit d'entreprise nous visons à mettre l'accent sur nos services, le terme «offre de services» est jugé plus pertinent.

L'identification du secteur d'activités et l'étude d'un marché cible

À partir de critères personnels et professionnels, Laura choisit d'intervenir dans le secteur du meuble. Elle découvre que ce secteur est composé de trois types d'industries: les fabricants de meubles de maison, les fabricants de mobiliers et d'articles d'ameublement pour hôtels, restaurants et institutions et les fabricants de meubles de bureau. Elle précisera plus tard si elle vise l'un de ces types de fabricants en particulier ou si elle les approche tous. Son marché cible est rapidement identifié, puisque son projet ne peut être réalisé que chez les fabricants des produits. Les distributeurs, fournisseurs, détaillants ou entreprises de services liés au secteur du meuble ne font donc pas partie de ses choix de marchés cibles. Elle rassemble toute la documentation susceptible de faire le portrait de la situation économique relative à son marché et se met à la recherche d'organismes pouvant l'informer des orientations du marché, de ses besoins et des défis auxquels il se trouve confronté. Elle note toute question à laquelle elle juge bon de répondre afin d'adapter au mieux son projet. Toute l'information qu'elle ne peut espérer trouver dans la documentation et la consultation auprès d'organismes se transforme en questions qu'elle adressera directement à son bassin de clients potentiels.

L'identification du territoire visé

Laura précise l'orientation de son projet en choisissant d'intervenir sur le territoire de la Montérégie. La poursuite de ses recherches sur ce territoire spécifique l'amènera à cibler son bassin de clients potentiels.

L'élaboration de la liste des entreprises retenues

Laura découvre un total de 185 établissements manufacturiers sur le territoire visé. La majorité de ces établissements ont moins de 49 employés à leur emploi. Neuf entreprises ont entre 50 et 199 employés et deux entreprises ont plus de 200 employés. Laura désire maintenant connaître les besoins de ces entreprises en matière de contrôle de la qualité industrielle. Elle se demande aussi combien d'entre elles ont implanté un programme visant la certification aux normes ISO et, enfin, combien seraient intéressées à une étude visant à évaluer la rentabilité ou la pertinence d'un tel programme dans leur entreprise.

Laura choisit de réaliser un sondage auprès de son bassin de clients et clientes potentiels afin de trouver réponse à ses questions. Elle réalise que plus elle est informée sur son marché et les besoins de ce dernier en matière d'assurance qualité, mieux elle pourra adapter la présentation de ses services afin de répondre de façon personnalisée aux attentes, problèmes et besoins de ses futurs clients. À partir des résultats de son sondage, elle choisit de prioriser la promotion de ses services chez 95 fabricants affichant des besoins divers en matière de qualité. Ses activités de promotion prendront ensuite la forme d'entrevues d'offre de service chez chacun de ses clients potentiels.

À ce stade, le projet de Laura est en processus dynamique de réalisation. La promotion de ses services chez ses clients potentiels sera déterminante. De 95 qu'ils étaient, ceux-ci passeront peut-être à 53 ou 32. Laura sait qu'elle ne vise pas à avoir 32 clients, mais un premier chez qui elle peut mettre à profit ce projet auquel elle croit.

La richesse de l'information obtenue et des contacts établis au gré de ses rencontres lui permettront de mieux cerner la façon de répondre aux besoins spécifiques de ses clients, et ce, de façon personnalisée. Elle cherchera à répondre à des besoins non exprimés officiellement, non publicisés dans les journaux comme quantité d'autres besoins qui demeurent non comblés faute de projets exprimés.

Le plan d'affaires est certes un outil de planification, mais au-delà de l'outil, il y a une vision qui invite à dépasser le mur des attentes pour créer une réalité pleine de la croyance que nous sommes en mesure de faire en sorte que les choses arrivent.

Le marché du travail devient de plus en plus complexe parce que nos besoins se diversifient, se raffinent et se font de plus en plus pointus. Chacun des marchés qui le composent a ses propres caractéristiques et ses propres besoins. Il faut donc apprendre à découvrir celui qui nous intéresse, apprendre à le connaître et à l'écouter, sans quoi nous risquons, comme dans l'histoire qui suit, d'en perdre nos moustaches.

Par un soir de tempête, un chat trouva refuge dans une grange désaffectée. Vautré sur une botte de foin, il entreprit le toilettage de sa robe, nonchalamment. Entre deux léchées, il aperçut soudain, en haut suspendue, une chauve-souris sommeiller.

«Mais qu'est-ce que c'est que cette souris?» se dit-il, perplexe, l'estomac soudainement en alerte.

Il se roula sur le dos, inversant la tête pour mieux examiner l'acrobate.

«A-t-on idée de trouver repos la tête inversée! Qu'il lui plaise tant d'originalité, mon estomac dégarni n'en fera certes pas la différence.»

D'un bref coup d'oeil averti sur les lieux, il mit en place une stratégie visant l'atteinte de son objectif. Il lui fallait, se dit-il, tenter de s'en approcher sans éveiller chez l'étrangère l'ébauche d'un soupçon.

En deux temps trois mouvements, le chat se retrouva à cinq chats de distance de la chauve-souris.

«Qui est là? demanda la chauve-souris.

— Point d'inquiétude étrange petite souris, je ne fais qu'examiner l'art et la manière que vous avez de si gracieusement trouver repos.

— Je vous vois à peine, qui êtes-vous donc?

— Je suis... représentant d'assurances tout risque! Pour vous servir, dame souris!

— Je ne suis pas une souris, mais bien une chauve-souris. Ne voyez-vous pas mes ailes? Et puis, passez donc votre chemin, je n'ai besoin de rien.

— C'est que... vous êtes un marché par moi peu exploré. J'aimerais bien connaître vos habitudes, vos besoins. De cette façon, je serai plus à même de vous offrir ce qui pourrait vous avantager. N'avez-vous jamais pensé que si l'une de vos pattes venait qu'à paralyser, d'une seule vous ne sauriez longtemps demeurer ainsi suspendue? La loi de la gravité vous inviterait vite à regagner le sol peu accueillant de cette grange désaffectée.

— Vous croyez un accident si vite arrivé? Je m'agrippe habilement, vous savez. Et je vous répète que j'ai des ailes. Une chute m'apparaît un risque facile à éviter.

— En fonction de cette habitude que vous avez de voir le monde inversé, tout peut arriver!

— Ne voyant presque rien, je ne comprends pas l'inquiétude que vous vous plaisez à présenter.

— De plus, vous êtes myope! Quelle dure vie qu'est la vôtre, chère amie! Une assurance éclaircie vous éviterait bien des ennuis!

— L'écholocation m'est suffisante. Elle guide tous mes déplacements!»

D'un bref coup d'ailes, la chauve souris fit le tour de la grange pour reprendre position là où elle était. Le chat, intrigué, commença à s'inquiéter.

«À si vite se déplacer, nulle chance pour moi de l'attrapper», se dit-il.

«Vos habitudes me surprennent de plus en plus. Il est tout à fait vrai que vous n'avez rien d'une souris. Laissez-moi alors vous parler d'un service que je réserve à mes clients les plus importants.»

Chuchotant, le chat dit à la chauve-souris:

«Il s'agit d'une assurance antiprédateurs. Permettez-moi de m'approcher, je ne voudrais à quiconque dévoiler le contenu d'une protection si recherchée.»

En moins de temps qu'il lui fallut pour poser une patte près de sa cible, le chat trop pressé effraya la chauve-souris qui poussa un cri strident que l'oreille du chat ne put supporter. Celui-ci se retrouva museau contre sol, estomaqué. De retour sur ses pattes, il fixa la chauve-souris qui, passée maître dans l'art du vol d'attaque, fonça sur le chat et lui déroba ses moustaches. Le chat privé d'équilibre se retrouva victime de son étourderie.

«Que de flair, dame chauve-souris!

— Du flair? Non. Qui trop pressé mal écoute, cher ami. Votre méconnaissance de mes facultés a elle-même déjoué vos efforts de mise en marché.

— Pour dire vrai, je n'avais rien à vous offrir, je désirais seulement vous avaler.

— Sachez alors qu'à faire du résultat son principal objectif, une stratégie n'est plus qu'une entreprise sourde et aveugle. Votre visite aura tout de même eu l'avantage de répondre à mes besoins de l'heure en matière de loisir et de divertissement. Vous savez, on s'ennuie tellement par ici!»

CHAPITRE III

LE TRAVAIL

Les choses ont changé pour moi
quand j'ai cessé de vouloir imposer mon ordre au chaos de l'univers
et que j'ai plutôt laissé l'univers mettre de l'ordre dans mon esprit.

Einstein

De l'expression à la névrose

Les gens qui occupent un poste dans une entreprise consacrent leurs énergies à vouloir le préserver, tandis que ceux qui ont perdu le leur n'aspirent qu'à travailler de nouveau. Pendant ce temps, des jeunes espèrent avoir accès au travail et se préparent au mieux à construire leur avenir professionnel. Il y a tous ces gens qui ne figurent pas aux statistiques du travail, mais qui travaillent avec entrain pour leur famille, la communauté, la société, pour seul besoin de servir ou de se rendre utiles. Le travail est si intimement lié à nos vies que de s'en voir privé conduit plusieurs personnes à remettre leur vie entière en question. Le travail a un pouvoir énorme sur nos vies puisqu'il n'est pas qu'un gagne-pain. Le travail non rémunéré s'en fait le témoin. Le travail est un moyen d'accomplir quelque chose d'utile; c'est un moyen d'apprendre, de collaborer, de s'exprimer, de solliciter un ou plusieurs de nos dons en les rendant partageables, serviables, communicables.

Il y a actuellement autant de personnes qui sont malheureuses au travail que de personnes qui aspirent à créer leur place sur le marché du travail. Cette situation soulève de multiples paradoxes. Le travail souffre présentement d'une sorte de névrose organisée. Son symptôme principal, et non le moindre, c'est le face-à-face avec le vide. Nous avons accordé au travail une très grande valeur dans nos vies, car effectivement il en a une. Sans doute cette valeur a-t-elle, avec la fin de l'ère industrielle, dévié avec la peur et une douloureuse perte de sens.

Le travail se confond avec d'étranges comportements. Pour les personnes qui travaillent, le travail relève de l'art, un art tortueux poussé à de la haute voltige. Dans plusieurs milieux, nous assistons à l'art de ne pas sombrer dans l'épuisement professionnel, à l'art d'échapper aux restrictions budgétaires, à l'art de dépasser le syndrôme du survivant ou à l'art de faire comme si nous vivions encore. Dans pareil contexte, le travail n'existe plus. Nous le déguisons plutôt, lui faisons porter des mérites qu'il n'a pas ou qui ne lui ressemblent pas. Nous faisons du travail un assassin de notre dignité ou de la dignité humaine à chaque fois que nous oublions de nous considérer nous-même ou de considérer un individu dans sa globalité: avec ses forces, ses limites, ses croyances, ses valeurs, ses aspirations. L'être humain est une entité complexe et c'est justement sa complexité qui fait sa richesse et toute sa valeur pour une entreprise. Lorsque nous ne savons plus pourquoi nous faisons les choses et à quelles fins, lorsque l'accomplissement n'est plus que de l'envahissement, c'est que le sens du travail n'est plus. C'est alors que nous dirons: le travail en souffre. Oui, le travail souffre, et sa souffrance est de ne plus être.

Si le travail c'est la santé,
tous mes copains en sont malades.
J'voudrais bien voir changer la vie
dans la nouvelle société.
État d'âme, Jean Ferrat

Pour ceux et celles qui aspirent au travail, sa définition prend davantage un sens de projets échelonnés dans le temps d'un parcours personnel et professionnel. Dans cette perspective, est-il encore réaliste de parler de gestion de carrière? La carrière a toujours son sens et sa place. C'est la forme que nous choisissons de lui donner qui change. Pour ce qui est de la gérer, j'avoue n'en voir guère l'utilité ni le bien-fondé. Il s'agit plutôt de lui donner de l'élan, de l'ouvrir à différentes opportunités et d'apprendre à lui donner une signification, une empreinte de ce que nous sommes.

Les sciences de la gestion vivent l'éclatement de leurs modèles. Dans les entreprises, l'adaptation dame le pion à la planification, tandis que l'amélioration continue prend d'assaut l'organisation du travail. L'art de bien faire les bonnes choses et l'art de bien être font chavirer les habitudes ancrées de tout vouloir gérer.

Gérer notre vie, notre carrière, notre budget, nos émotions, notre famille! Nous en sommes arrivés à une étape de notre histoire personnelle, professionnelle et collective où toute nouvelle exigence qui nous contraint à devoir gérer quelque chose de plus, ne passe tout simplement pas. Comme si le mal de mer s'était emparé de nos vies. Où donc avons-nous attrappé ce mal?

Dans plusieurs entreprises, nous demandons aux gens de dépasser les frontières du réel. Plus encore, nous sommes à réinventer la comptabilité, à créer une nouvelle façon de produire le bilan des résultats. À la colonne des débits, foisonnent les demandes et les nouvelles exigences. À celle des crédits, c'est l'écriture zéro. Si les bilans n'affichent plus les résultats escomptés, c'est que nous confondons crédits avec soustractions, lesquelles se chiffrent en personnel et en avantages réduits. Quelle que soit la nature des nouvelles demandes que nous adressons à une personne (ajout de tâches ou de responsabilités, adaptation à un changement, nouvelle philosophie ou nouvelle pratique stratégique de gestion) lorsque nous gonflons continuellement le seuil des exigences sans remettre en question ce pour quoi ou pour qui nous faisons les choses et sans doter cette personne des crédits, outils ou ressources dont elle a besoin pour faire face à une nouvelle situation, nous la plaçons en situation d'inefficacité. Le message sous-entendu devient alors: «*Reproduis-toi toi-même.*» Puisqu'à cette distorsion, la personne ne peut répondre, c'est dans son temps de vie personnelle qu'elle puisera. C'est alors sa santé physique et psychologique qu'elle épuisera.

Le mal de mer n'est pas présent qu'au travail. Il se glisse dans chacun des foyers sans carte d'invitation. Au moment où les faillites personnelles augmentent et que les budgets des familles se resserrent, il coûte toujours plus cher d'avoir le droit à la vie en société. Le nouveau phénomène comptable se reproduit ici aussi. Les ménages se voient imposer le port obligatoire de la ceinture serrée et une contribution décuplée, tandis que les crédits se transforment en soustractions de services à la population. À chaque nouvelle demande adressée aux individus et aux ménages s'associe une vision sociale diluée, confuse, sinon absente, ce qui engendre inévitablement une confusion collective certaine. Ne comprenant plus les raisons qui motivent notre contribution ou les avantages individuels ou sociaux que nous pouvons en retirer, nous nous retrouvons de plus en plus béat, à chercher comment répondre à chaque nouvelle exigence. Le message sous-entendu devient: «*Apprenez à gérer l'ambiguïté!*» Or, l'ambiguïté ne se gère pas, elle se tolère, tout au plus, lorsque nous en comprenons les vertus. En leur absence, point de tolérance, sinon les manifestations de la méfiance.

Si seulement, dans chaque entreprise et dans chaque collectivité, les gens étaient informés de la situation à laquelle on leur demande de faire face, de l'objectif auquel ils sont invités à collaborer, vers quel dessein tendent les multiples efforts ainsi que l'usufruit d'une telle contribution, il serait surprenant de constater la force de leur appui. C'est à solliciter l'intelligence des gens et en leur rendant l'information accessible qu'ils pourront rendre intelligible ce qui est attendu d'eux. Peut-être serions-nous tout aussi surpris de constater que des personnes bien informées et consultées deviennent des personnes engagées à mettre à profit leurs ressources en puissance. Supplanter le potentiel humain par des considérations d'ordre technocratique, c'est écarter une personne de son droit de s'appartenir en propre et de sa capacité de s'engager envers une cause, une organisation ou une société qui lui tient à coeur.

Si nous en avons assez de tout gérer, c'est parce que nous avons beaucoup trop besoin de vivre, de créer, de trouver un sens à notre travail, à ce que nous sommes ainsi qu'à notre rôle en société. La grosse machine de la gestion ne respire plus que du gaz carbonique. Comment alors est-il possible de faire face à autre chose qu'à un grand vide? Nous ne respirons plus, nous refoulons l'avenir et menons notre vie en points de suspension. Nous ne savons plus comment nous projeter vers demain ou comment lui donner un sens parce que nous nous croyons des survivants et nous agissons comme tel. Quelque chose s'est lobotomisé en nous et cela s'appelle le «courage de créer». Ce courage est d'abord celui de réaliser que nous ne sommes pas le produit d'une entreprise ni d'une société, mais leur interprète, et que si vide il y a, nous nous devons d'avancer pour dépasser le champ de nos peurs afin de retrouver le sens manquant, et que si crise il y a, au travail ou ailleurs, nous devons nous engager à défendre ce que nous voulons préserver et à liquider ce qui n'a plus sa raison d'être. Ce n'est qu'à ce prix que nous pourrons développer des entreprises, tout comme une société qui nous ressemble.

L'imagination est une petite plante délicate qui,
en plus de l'encouragement, a surtout besoin de liberté
sans quoi elle s'étiole et ne manque pas de périr.
Einstein

Nous avons une disposition naturelle à prendre des engagements envers nous-même, envers autrui ou envers toute chose qui peut rejoindre cette partie de nous qui, loin de tout calculer, structurer, analyser ou imposer un ordre, a surtout besoin d'explorer, d'imaginer, de créer, de s'exprimer.

Nous prenons conscience graduellement qu'au-delà du besoin de planifier, d'organiser, de diriger et de contrôler les différents aspects de notre vie, surgit une nécessité grandissante qu'est celle d'apprendre à donner un sens à notre vie. Le sens que nous lui attribuerons donnera le ton aux autres dimensions de notre vie, dont le travail.

Si le travail est un moyen d'expression fabuleux qui, de l'engagement individuel, trouve sa vigueur dans le collectif, il importe de cesser de croire que nous reproduire nous-même ou apprendre à gérer l'ambiguïté puisse nous mener sur la route de nous-même, puisque ces croyances sont toutes deux le fruit de distorsions.

Si donner un sens à notre vie, c'est aussi donner un sens au travail et si d'égards nous avons besoin pour nous appartenir en propre et accéder à notre capacité d'engagement au travail comme ailleurs, donnons-nous d'abord comme devoir de nous respecter nous-même. À cela, pourrons-nous ensuite attribuer les effets et tout le pouvoir qui se dégage de la cohérence.

Une question de qualité

Tout ce que l'homme peut concevoir et croire,
il peut l'accomplir.
Napoléon Hill

Devant les défis que nous avons à relever à l'aube du XXIe siècle, il est grand temps de parler de qualité et d'apprendre à nous en donner. Après avoir tenté de faire de notre vie quelque chose de «gérable», l'art d'être pleinement ce que nous sommes est le premier travail qui nous est confié. C'est là un préalable afin de pouvoir voir l'avenir autrement qu'avec les yeux des ténèbres.

Dans mes premières années d'intervention en entreprise auprès de personnes visées par un licenciement, une question revenait sans cesse m'envahir: comment se fait-il que certaines personnes à qui on annonce leur licenciement perdent du jour au lendemain toute l'estime qu'elles ont d'elles-mêmes? C'était une question qui présentait certes un côté naïf, puisque de nombreuses raisons fort légitimes pouvaient facilement expliquer le phénomène. Or, les personnes licenciées ne perdent pas toutes l'estime d'elles-mêmes. Elles vivent toutefois, toutes à leur façon, les différents stades de deuil largement explicités par Elizabeth Kübler-Ross.[8]

Au cours d'une visite dans l'usine d'une entreprise qui venait d'interrompre définitivement ses activités, je regardais les quelques derniers employés en poste occupés à démanteler l'équipement industriel qui venait d'être acheté par un concurrent. J'examinais ces visages éteints que l'ambiance du travail avait déjà animés et je compris soudain ce qu'était la force, le pouvoir d'une entreprise et, à la fois, tout le danger qui guette celui qui en fait son idéal de vie. Toute la hiérarchie des besoins selon Abraham Maslow a pu, durant longtemps, se retrouver comblée par l'entreprise: les besoins

8. KÜBLER-ROSS, E. **On Death and Dying,** New York, The Macmillan Company, 1969.

physiologiques, le besoin de sécurité, le besoin de liens sociaux, le besoin d'estime et enfin, le besoin d'autoaccomplissement. Ces besoins, qui peuvent trouver réponse dans les différentes dimensions de notre vie, lorsqu'ils sont en majeure partie comblés par l'entreprise, créent chez la personne une forme de dépendance excessive et fragilisante. La rupture avec l'entreprise devient alors synonyme de rupture avec soi, l'estime que nous nous portons n'ayant pas établi de références en dehors de l'entreprise.

Combien de fois me suis-je retrouvée désarmée lorqu'une personne me disait: «*Mon travail, c'était toute ma vie! Maintenant, je ne suis plus rien!*».

Et combien d'autres fois ai-je entendu: «*Cette compagnie, je lui ai tout sacrifié: ma vie, ma femme, mes enfants, ma santé. Je me retrouve complètement démuni maintenant, même mes seuls amis étaient tous ici!*».

Suicide, toxicomanie, alcoolisme, boulotmanie, ruptures de tous plans (psychique si nous parlons d'épuisement professionnel, et physique si nous faisons référence au *karochi*, mort brutale par excès de travail rencontrée au Japon), sentiments de vide et de course contre la montre sont devenus des réalités que nous ne pouvons plus nier.

Nous consacrons beaucoup de temps au travail. Nous y laissons là aussi beaucoup de nos énergies, de nos aspirations... et de notre vie. «*Travailler exige un entier dévouement,* me dit-on. *N'est-ce pas normal, alors, de ne plus pouvoir consacrer de temps aux autres dimensions de sa vie?*»

Je réponds à cela que la perception que nous avons du travail et de notre rôle est d'abord liée à nos croyances qui, fortes de leur pouvoir, engendrent parfois en nous un sentiment d'impuissance qui nous rend prisonnier d'une situation. Si nous nous croyons désarmé de notre possibilité de faire des choix, nous ne pouvons faire autrement que subir le travail et ne plus rien pouvoir ressentir d'autre que le poids de l'impuissance. Une jeune femme vint un jour me rendre visite, désespérée:

«*Je n'ai pas le choix. Je dois gagner ma vie et je suis prête à prendre n'importe quel travail.*

— *Qu'êtes-vous prête à sacrifier pour travailler? lui demandai-je.*

— Je vous dirai plutôt ce que je ne suis pas prête à sacrifier: mes enfants et ma santé, car je suis seule à veiller sur eux.

— Trouveriez-vous satisfaisant d'occuper un emploi dans lequel vous ne trouveriez aucun intérêt?

— C'est certain que si j'avais le choix, je choisirais quelque chose que j'aime, bien sûr!

— Alors, pourquoi ne pas vouloir vous y mettre maintenant?

— C'est que je n'ai pas le temps ni les moyens de faire de la place à cela. J'ai juste besoin d'un travail!

— Et si je vous disais que pour trouver n'importe quoi, il vous faudra investir autant de temps et d'énergie que si vous faisiez place à quelque chose qui pourrait vous intéresser et respecter ce que vous n'êtes pas prête à sacrifier, que me répondriez-vous?

— Je ne saurais pas quoi vous répondre. Je ne crois pas qu'il soit plus facile de trouver une orientation qui me convienne.

— Plus facile, non. Plus signifiant à vos yeux, peut-être que si.»

Nous n'avons absolument rien à perdre à miser sur la qualité de notre vie professionnelle. Bien au contraire! Tout ce que nous risquons à rechercher de la qualité, c'est de pouvoir en donner au travail. Tout le reste s'enchaîne par le seul fait d'accorder du respect à ce que nous sommes. Comment, alors, une loi d'apparence aussi simple est-elle si difficile à appliquer? Il suffit de questionner nos croyances pour trouver les réponses. Nos croyances élargissent ou limitent nos possibilités. L'une de ces possibilités, une des plus importantes pour l'équilibre physique et psychologique, est celle de faire des choix.

Un sentiment d'impuissance par rapport au travail ne peut que nous empêcher de nous y engager ou d'y vivre sainement. Lorsque nos croyances limitent nos possibilités d'agir, le travail devient à son tour une limite. Le travail ne peut être rien d'autre que l'image que nous nous en faisons. Le travail peut être une source réelle de satisfaction et comporter des défis qui stimulent la vie professionnelle sans pour autant combler tous nos besoins. Le travail peut être une opportunité d'élargir nos horizons et d'affirmer notre créativité, mais il n'y a pas lieu pour autant de sous-estimer l'importance des autres dimensions de notre vie.

Nos croyances guident nos façons de faire comme elles guident nos façons d'être. Nous croire impuissant dans une situation ne peut que nous rendre impuissant. Nous avons toujours le choix. Nous sommes des êtres dotés de la capacité de faire les choix qui s'imposent pour la qualité de notre vie professionnelle.

La qualité est un concept qui varie d'une personne à une autre puisque nous n'avons pas tous les mêmes priorités. Chose certaine, nous avons tous des besoins. Les renier nous prive du sentiment de pouvoir faire des choix personnels qualitatifs. Chaque instant de notre quotidien appelle à faire des choix. Renoncer à faire des choix est aussi un choix. Il nous faut seulement le reconnaître et cesser d'affirmer: «*Je n'ai pas le choix!*».

Rechercher de la qualité dans notre vie professionnelle, c'est nous permettre de mettre du désordre dans nos certitudes et dans nos croyances, c'est faire en sorte qu'elles soient remises en question afin qu'elles cessent de nous guider aveuglément. La rupture de la place privilégiée que nous accordons souvent au travail dans notre vie permet aux autres dimensions de s'affirmer vivantes. Sur un train à grande vitesse qui ne s'arrête nulle part et dont la destination nous semble frôler l'ambiguïté, nous ne faisons pas voyage, nous nous laissons mener. Il n'y a que nous qui pouvons interrompre les conditionnements qui contrôlent nos façons de faire et d'être.

À quelques reprises, des personnes m'ont dit: «*C'est bien beau tous ces principes qui visent la reprise d'un peu de pouvoir sur notre vie professionnelle, mais... dans la réalité, quand tu arrives à trouver un travail, tu sais très bien que pour le conserver tu te dois de livrer la marchandise. Tu sens chaque jour derrière toi la pression de deux cents autres personnes prêtes à te remplacer si tu ne réponds pas à la demande! Alors on doit y mettre le paquet, un point c'est tout. Le besoin d'argent et celui de préserver sa place passent avant tous les beaux principes.*»

J'avoue manquer parfois de mots pour exprimer les répercussions et toute l'ampleur du phénomène des croyances sur la qualité de notre vie professionnelle et personnelle. Toucher le domaine des croyances individuelles représente un grand défi pour quiconque a comme rôle d'intervenir auprès des gens, ce qui fait que bien souvent, le plus facile est de les éviter, d'axer l'intervention sur le contenu et de rester dans le domaine du bienséant «politiquement correct».

L'une de mes propres croyances étant que tout être humain a fondamentalement besoin d'effectuer quelque chose qui lui permette de grandir, je fais fi de la solution qui consiste à éviter et je consulte plutôt ma boîte à contes. En effet, quand il s'agit d'entrer en communication avec les gens dans le monde des croyances qui sont les leurs, les contes ont cette façon de transformer un langage en moment d'abandon.

La fourmi et l'abeille

Une fourmi à qui on avait enseigné depuis l'enfance qu'elle devait dédier chaque effort de sa vie à sa monarque, la reine, besognait sans relâche du matin au soir en espérant que celle-ci remarque sa dévotion et lui prête considération. Certains soirs, un groupe de fourmis l'invitaient à prendre part au jeu du labyrinthe.

«Allez, viens donc avec nous!

— Je suis exténuée, disait la fourmi. Et de toute façon, de votre jeu, je ne puis voir l'utilité pour les aspirations qui sont miennes. J'ai une famille à faire vivre et ce n'est pas en jouant au labyrinthe que je pourrai un jour accéder à meilleur sort. Amusez-vous si le coeur vous en dit, mais ne comptez pas sur moi.

— Devrons-nous te convaincre qu'un peu d'agrément allège la fatigue du travail acharné? Nos vies de fourmis sont si organisées et si prévisibles. Un peu de place aux découvertes à travers les labyrinthes de la grande côte nous rappelle à chaque instant qu'il n'y a pas que des routes à creuser, que des matières à transporter. Pourquoi choisis-tu de croire que notre vie n'est qu'agitation et peine au coeur d'une fourmilière? Regarde autour de toi, fourmi, la vie te montre d'autres horizons.

— N'insistez pas. Qu'il vous plaise de philosopher, moi je n'ai pas le temps ni les moyens d'errer.»

Un jour, la fourmi emprunta le chemin des deux croisées pour quérir, comme elle en avait pris l'habitude, un nouveau présent susceptible de satisfaire les attentes pourtant inassouvissables de la reine. Une abeille qui passait par là aperçut la fourmi et, jugeant le moment propice à la pause, s'approcha de celle-ci pour un brin de conversation.

«Bonjour belle ouvrière! Quelle est donc votre quête en ce jour radieux?

— Je cherche un nouveau présent qui puisse combler ma reine.

— La combler? Quel grand défi, vous avez! Votre reine doit beaucoup vous apprécier!

— C'est ce à quoi j'aspire, vous savez!

— Comment? Elle ne vous a pas encore signalé une quelconque reconnaissance?

— Il y a tant de fourmis dans la colonie. Pour aspirer se démarquer ou ne serait-ce que maintenir un rôle utile, il faut mettre les bouchées doubles. C'est cela notre réalité!

— Ne permettez-vous donc jamais à votre petite nature de manifester ses joies, ses plaisirs, son bonheur d'être en vie?

— Je ne suis qu'une ouvrière. De nombreux efforts m'appellent encore pour défendre ma place ou aspirer à un quelconque rang dans la hiérarchie.

— Dans quel dessein, chère amie?

— Dans celui d'éviter que ma vie soit celle du vermisseau.

— Qu'a-t-elle de si terrible, la vie du vermisseau?

— Je n'en sais pas grand chose, si ce n'est qu'un vermisseau un jour m'a dit: "T'as de la chance d'être une fourmi." Je lui demandai pourquoi en mon sort, tant d'envie. Il me répondit qu'il aurait aimé avoir le plaisir de collaborer sans ménage aux aspirations grandioses d'une monarque, mais que telle n'était pas sa destinée. Lui devait fouiller les sols, ramper ça et là, sans quête définie. J'ai cru en ce jour que si l'organisation dont je fais partie est conçue de façon telle à valoriser le travail et la hiérarchie, ne valait-il pas que je m'inquiète de miser assidûment sur mon travail au risque de voir ceux de mon rang me remplacer au moindre manque de vigilance? Ma vie a, de cette façon, certes plus de sens que celle d'un vermisseau. N'êtes-vous pas de mon avis?

— Loin de moi, chère fourmi, d'évaluer qui du vermisseau ou de la fourmi a meilleure qualité de vie. Je sais seulement que si j'avais à vous faire le bilan de la mienne, vous en seriez morte d'ennui.

— C'est si terrible, la vie d'une abeille?

— Terrible, vous dites! Imaginez un seul instant passer votre vie à devoir ouvrir vos ailes pour effectuer quelques vols de reconnaissance au-dessus de millions de fleurs sauvages aux arômes sucrées et parfumées en vous laissant porter par un vent qui vous assiste dans l'oeuvre de polleniser. Et puis, repue, le jabot plein d'une récolte délectable aux confins d'une journée bien remplie, vous blottir entre les pétales d'une rose pour profiter des derniers rayons du soleil, pleine de la satisfaction durable que procure le travail bien accompli. Et, finalement, le soir venu, fière de votre contribution pour la ruche, vous sentir privilégiée de partager avec la colonie des instants de confidences, de plaisir et d'harmonie. Ne voyez-vous dans cette vie, tout l'ennui que serait le vôtre, chère fourmi?

— Mes occupations divergent des vôtres, sans contredit. Mais, je ne vois pas de votre vie en quoi rime l'ennui! Permettez-moi de passer mon chemin, quelque chose en moi dérange l'ordre établi. J'ai soudain peine à me rappeler le but de ma présence ici.

— Vous cherchiez un présent pour votre reine!

— Vous en êtes vraiment certaine?

— Oui... enfin, il me semble! Puis, savez-vous, je n'en suis tout à coup plus certaine. L'abus de nectar crée parfois de ces absences...

— À qui le dites-vous, dame abeille. Trop de ceci, c'est comme pas assez de cela. Il très facile de s'y perdre, croyez-moi!»

Le recadrage de nos croyances

Les hamsters croient-ils aller quelque part,
lorsqu'ils tournent et tournent encore
dans cette roue qui s'en moque?

S.D.

Rechercher de la qualité dans notre vie professionnelle, c'est d'abord nous donner le droit de mettre un pied dans la roue de notre vie afin d'examiner ce qui nous conditionne à agir et ce qui donne du sens à notre façon d'être et de faire, de sorte que nous préservions un certain équilibre, une forme d'écologie en nous. Cela me semble être un exercice préalable afin de «bien faire» ce que nous avons à faire et de «bien être» avec soi et les autres dans la dimension «travail» de notre vie. Cela ne veut cependant pas dire que miser sur la qualité de notre vie professionnelle transforme aussitôt celle-ci en paradis. C'est justement cette notion du paradis au travail qu'il faut apprendre à recadrer.

Une entreprise est une personne morale dont la mission première n'est pas de nous rendre heureux ni de répondre à nos attentes ou de servir nos besoins, mais bien de créer, de développer et d'implanter des produits, services et solutions permettant de répondre aux besoins des personnes et des groupes que nous appellerons ses clients. Dans un tel cadre, l'organisation nous propose de tenir le rôle de «ressource humaine». Le **Dictionnaire canadien des relations de travail** n'a pas de définition singulière de l'appellation «ressource humaine». Le terme n'y est utilisé qu'au pluriel en mentionnant qu'il s'agit de l'*apport réel ou potentiel de main-d'oeuvre à l'intérieur d'un pays, d'une région ou d'une communauté quelconque, susceptible de contribuer au développement de l'activité économique.*

Le **Petit Larousse** nous dit qu'une «ressource», c'est *ce qu'on emploie dans une situation fâcheuse pour se tirer d'embarras.* Plus loin dans ce dictionnaire, une «personne de ressources» serait *une personne capable de fournir des solutions à quelque chose.*

En lisant ces définitions, force est de constater que notre rôle de ressource humaine est, somme toute, assez précis puisqu'il fixe un cadre à l'intérieur duquel nous pouvons inscrire la contribution attendue d'une ressource. Cette contribution s'exprime dans l'achat, par l'entreprise, des services que nous lui offrons si, bien sûr, ceux-ci répondent à des besoins qu'elle vise à combler dans l'objectif de sa mission. Dans cet ordre d'idées, le refus d'une entreprise de retenir les services d'une personne n'est pas le refus de cette personne, mais bien le résultat de la non-convergence des services qu'elle offre et des besoins de l'entreprise.

C'est en fait ce qui se produit lorsque quelqu'un téléphone à notre domicile pour nous offrir un service d'entretien des moquettes à prix incomparable avec service après-vente garanti et que nous n'avons que des planchers de bois. Que répondons-nous à cette personne qui nous offre ses services? Peut-être serions-nous plus enclin à écouter et accueillir les services d'un sableur de planchers si c'est un projet auquel nous songions depuis quelque temps.

Une entreprise n'existe que parce qu'elle répond à des besoins dans un créneau de marché. De même, nos services doivent répondre à des besoins de l'entreprise, que ce soit de fournir des solutions ou de contribuer d'une façon certaine au développement de son activité économique.

Une approche rationnelle des relations professionnelles entretenues avec une entreprise provoque souvent le même effet qu'une douche froide chez les personnes que je rencontre. Or, il s'avère parfois utile de remettre les choses dans leur contexte, entre autres lorsque nos croyances à l'égard d'une entreprise sont disproportionnées ou encore lorsque celles-ci nuisent à la qualité de notre vie professionnelle ou à nos démarches de recherche d'emploi. Lorsque nous replaçons les choses dans leur contexte, nous devenons plus à même de faire des choix personnels judicieux qui tiennent compte des différentes facettes de nos besoins, incluant celui d'effectuer quelque chose qui nous soit significatif.

Nous comprenons aisément que nous sommes beaucoup plus qu'une ressource humaine. Puisque nous sommes d'abord des êtres humains dotés d'une pluralité de ressources et de besoins qui nous sont propres, il nous est impossible de vivre de façon compartimentée, c'est-à-dire de mettre à contribution nos services au profit de notre rôle professionnel tout en remisant temporairement tout le reste de ce que nous sommes. Les services que nous offrons et les projets que nous réalisons peuvent aisément devenir une source croissante de satisfaction et de nouveaux défis et nous ouvrir à de nouvelles perspectives tant sur les plans humain et personnel que professionnel.

Mettre à profit nos services au sein d'une entreprise n'empêche en rien un engagement et un dévouement sains lorsque nous renonçons à considérer l'entreprise comme un idéal qu'elle n'est pas.

Le recadrage de nos croyances facilite l'accès à une vision renouvelée du marché du travail. Étant donné que nous sommes beaucoup plus que ce qu'un employeur attend de nous, il ne reste qu'à nous approprier cette croyance et à nous en servir avec esprit d'entreprise pour donner un peu plus de qualité à cette dimension de notre vie qu'est le travail.

Le vieil indien et le pied noir

Les tailleurs de pierre
ne sont pas des gens fiers.
Les grands comm' les p'tits
y boiv' tous du whisky.

Yont pas ménagé
Pour passer leur été
Y auront d'la misère
Pour passer leur hiver

Extrait de *Chanson des pieds noirs*

En revenant d'une journée de grand labeur où, comme à chaque matin, il s'était déguisé en perceur de mines et l'après-midi en fendeur de blocs de pierre, Jean le Carrier s'apprêtait sans le savoir à terminer sa journée en arrêteur de sang. Plein d'un dernier verre de whisky «pour la route», il prit raccourci par le bois pour rentrer chez lui. Près de la route menant à Saint-Séverin de Beauce, Jean crut d'abord à une vision lorsqu'il vit, appuyé contre un arbre, un vieil indien. Il s'approcha doucement les mains tendues pour valider la présence, tandis qu'un murmure agonisant s'échappa du vieil homme.

«Hé! t'es vrai ou pas?

— Moi, Touah.

— Si toi, t'es moi, alors qui j'suis, moi?

— Moi, Touah, mourir.

— Ouais, nous allons tous mourir un jour. Toi avant moi en tout cas. Laisse-moi voir ce qui ne va pas.

— Empreinte de carcajou sur moi.

— En effet, mon vieux, vilaine empreinte!

— Toi faire quoi?

— Moi, arrêter ton sang de couler.

— Donne-moi plutôt whisky. Ta bouche est pleine.

— Il y a belle lurette que le whisky est rendu loin de ma bouche. J'ai tout bu mon vieux, fini pour aujourd'hui! Qu'est-ce que tu fais par ici?

— Ici ou ailleurs, plus de place pour indien. L'homme blanc a tout pris.

— T'as le vague à l'âme on dirait. Exagère pas! On t'a pas tout pris quand même! On est civilisé, on sait troquer!

— Troc avec homme blanc est mort pour nous.

— J'comprends pas, explique!

— Autrefois, nous grand peuple paisible avec lois de l'esprit de nature. Aujourd'hui, petit peuple tourmenté avec nature reculée. Plus de place pour nous avec nature. Reste whisky quand homme blanc veut bien.

— On a évolué, tu sais. C'est fini c'temps-là.

— Pas fini. Nous trahis. Nous malades depuis homme blanc.

— Je sais qu'on t'a pas fait une vie à l'eau de rose, mais penses-tu que c'est mieux pour nous? Moi, par exemple, je suis un carrier, un "pied noir" comme on dit. Du matin au soir, j'extrais du sol, pour un salaire ridicule, de la pierre qu'un tailleur mieux rémunéré que moi façonnera ou qu'un vulgaire maçon posera pour fabriquer une maison, sans s'éreinter comme moi à la casser. Est-ce que je me plains, même si je sais qu'un gars comme moi fait fuir les belles de la ville? Non, mon vieux, j'prends un bon coup pour faire passer, puis j'continue. C'est ça qu'il faut que tu fasses, continuer à durer, sinon, t'auras plus de métier.

— Moi, pas de métier.

— C'est pour ça, vieux. Quand t'as pas de métier, t'es plus rien.

— Moi, avant, pas besoin de métier. Peuple à moi travailler avec paix au coeur pour nourrir tous.

— Avant, c'est fini. Il faut te faire à l'idée. On ne vit pas dans l'passé! Tu saignes plus maintenant, appuie-toi sur mon épaule, je t'emmène chez moi.

— Non, moi attends le jour nouveau ici. Toi, guérisseur du sang qui coule?

— À peu près. Tu tiens ça mort. C'est un secret. Si on en parle, je perds le don.

— Toi as d'autres dons?

— Aucun autre. Je ne suis qu'un casseur de pierre ridicule.

— Moi, frotte pierre. Pas besoin de casser pierre pour construire maisons. Pas besoin de vider grand fleuve Magtogoek pour nourrir peuple. Pas besoin de brûler arbres pour vivre ici. Pas besoin de fusils pour tuer animaux. Pas besoin de ton Dieu pour dire quoi faire.

— Pas besoin de moi pour arrêter ton sang?

— Si toi pas là, moi mourir. C'est tout.

— C'est tout?

— Grand Esprit, là pour moi. Moi, brave devant la fin. Toi, pas brave. Toi, plein de peurs.

— T'as raison. Je ne suis pas brave. Je travaille pour boire du whisky. Ça chasse la peur. Ça aide à faire passer un métier de malheur. Puis, j'suis pas certain qu'un grand esprit est là pour moi... le diable a l'air plus vrai. On en parle tant dans mon église que je ne sais plus du tout qui du diable ou de Dieu a le plus de pouvoir sur ma vie. J'aime sacrément mieux chanter au lieu de m'inquiéter pour demain.

— Toi, connaître histoire de la cigale et la fourmi?

— Non.

— Étrange, car homme blanc plein d'histoires dans la tête l'a transmis.

— On peut quand même pas toutes les connaître! T'as pas besoin de grand'chose de l'homme blanc, mais t'as pas levé le nez sur une de ses histoires, on dirait!

— Toi, écoutes?

— Au point où j'en suis!

— Petite cigale, tout l'été avait chanté. Savait plus quoi faire les grands vents venus. Plus de mouches autour, plus de petits vermisseaux. Alla crier famine chez fourmi voisine. Supplia pour avoir grains jusqu'à nouvelle saison. Mais fourmi pas prêteuse dit:

"Qu'est-ce que toi faisais au temps chaud?

— Moi, chantais, dit cigale.

— Toi, chantais? Alors, toi danser maintenant."

— C'est tout? J'la comprends pas ton histoire. Ça n'a rien à voir avec moi. J'travaille, j'fais pas juste chanter.

— Si pas travailler avec paix au coeur, pas pouvoir chanter avec coeur. Rien pouvoir faire d'autre que danser chaque jour.

— Tu penses que je devrais changer de métier?

— Moi, rien penser, juste ressentir grand vide en toi.

— Ouais, t'as raison. Y'a comme un trou. Un puits pas de fond, pas de source. C'est pour ça que j'ai toujours soif. Bon, eh bien,... il faut maintenant m'en aller. Ça va aller pour toi?

— Va en paix, homme cigale.

— La paix? C'est un métier à temps plein, tu sais!

— Apprendre à être est plus merveilleux temps plein.

— Tu crois que ça peut devenir payant?

— Toi voudrais troquer don à toi contre paix, pour voir?

— Jamais de la vie! J'ai hérité de ce don et j'ai le devoir d'en faire bénéficier les autres. Des gens heureux, je fais, grâce à lui. Et, récompensé je suis de leurs mercis.

— Et ça, payant, pour toi?

— Oui, vieil indien, c'est payant d'offrir aux autres ce que l'on est. En plus, ça n'demande aucun effort. Il suffit de croire vraiment en ce qu'on est.

— Alors, toi maintenant travailler à faire lever soleil en toi. Paix chassera grand vide et fera couler source vive. Cigale chaque jour, pourra chanter avec coeur, manger à sa faim et plus jamais danser pour rien.»

Les choses ne changent pas; c'est nous qui changeons.
Henry David Thoreau

À l'heure où se vivent les choses au sein des entreprises et sur le marché du travail, la peur a pris des proportions telles qu'elle aveugle nos comportements et attitudes. Dans plusieurs milieux, ceux qui jadis se nommaient collègues se considèrent maintenant concurrents. Ceux qui demeurent en poste après les rationalisations d'effectifs portent désormais le nom de survivants. Le sentiment d'efficacité s'est substitué à celui d'incompétence devant une tâche qui ne cesse de grossir. La démotivation s'affiche glorieuse au détriment de la mobilisation, tandis que l'instinct de survie déclenche des comportements où plusieurs valeurs pâlissent. De personnes soucieuses de travailler, plusieurs en viennent à abandonner, ne comprenant plus ce qui se passe, ne se sentant plus à la hauteur. D'utiles qu'elles étaient à une entreprise, des personnes licenciées ne croient plus avoir l'opportunité de tirer du travail une source quelconque de satisfaction.

Pourtant, les entreprises n'ont jamais eu autant besoin de créativité, de savoir-faire et de savoir-être pour faire face aux multiples défis auxquels elles sont confrontées. Elles ont besoin d'un nombre grandissant de personnes qui se connaissent, qui sont capables de définir leur contribution, d'articuler leur rôle au sein d'une équipe qui trouvera sa raison d'être autour de projets, de missions. Une entreprise n'est pas une personne. Elle ne peut rien faire que des gens n'aient décidé.

Le marché du travail ne crée aucun changement qui ne soit la conséquence des choix, besoins et décisions collectives des consommateurs que nous sommes. La société, c'est chacun de nous qui la modèle. Nous avons en nous la capacité de rompre avec un ordre des choses qui n'est plus adapté à ce que nous sommes. Aussi longtemps que nous croyons que les changements naissent de l'extérieur, rien ne peut véritablement changer. Tant et aussi longtemps que nous reproduisons collectivement les mêmes comportements qui ne mènent nulle part, nous ne pourrons reprendre du pouvoir sur nos vies et retrouver le sentiment que nous sommes ceux et celles par qui les choses arrivent.

La tordeuse d'épinette et la perdrix

La perdrix qui, par un beau matin, se promenait comme de coutume à la recherche de son pain quotidien s'arrêta, surprise, devant une épinette qu'avait fait prisonnière une famille de tordeuses affamées.

«Que faites-vous là, si dévoreuses, petites chenilles?

— Va prendre ton déjeuner ailleurs, nous n'avons pas fini le nôtre! répondit l'une des tordeuses sans broncher de ses activités.

— J'attendrai! Devant l'abondance que vous offrez, mon gosier s'émoustille de l'idée de vous y voir réfugiées. Pour mon oeil aiguisé, le choix devient embarras! Permettez que j'observe l'art et la manière de manger jusqu'à l'écorce cette épinette, mon amie, qui jamais plus ne sera l'un de mes abris.

— Déguerpis! Va voir ailleurs si on y est. Et profites-en pour trouver d'autres épinettes sur lesquelles poser tes pattes!

— C'est que celle dont vous vous êtes emparée permet un camouflage supérieur, digne d'une appréciable protection contre mes prédateurs.

— Il est trop tard, nous l'achevons presque.

— Mais pourquoi, dites-moi, tant de défoulement collectif en ce matin charmant?

— C'est une question de survie. Nous sommes trop nombreuses en cette saison. Chacune veut faire sa place pour s'y nourrir tranquille jusqu'à notre mutation prochaine, mais personne ne respecte les conditions. Les unes volent la place des autres, on mange tout sur notre passage de peur d'en manquer.

— C'est l'anarchie, mes amies! Réalisez-vous que de ce comportement, vous ne survivrez point longtemps?

— Tant qu'il y aura des épinettes, on ne voit pas le problème!

— En effet, vous souffrez de myopie, très chère. Ne voyez-vous donc rien venir?

— Rien qui puisse nous détourner de notre objectif.

— Regardez vers le ciel, une nuée d'oiseaux vous ont repérées.

— C'est l'escouade de protection pour l'environnement?

— Plus subtil, belle éphémère! Ce sont ceux que votre faible vision invite en cet instant, à votre repas dernier.»

Les faux-guides professionnels sous la vision entrepreneuriale

C'est pas une job que j'veux,
c'est d'l'argent!
La sabbatique
(monologue de Richard Desjardins)

L'argent

Si l'argent ne rend pas heureux, il demeure que nous en avons tous besoin! C'est pourquoi nous échangeons nos services contre rémunération. Je place l'argent dans la catégorie des faux-guides professionnels parce qu'il tend parfois à nous empêcher de considérer l'objectif véritable auquel nous devons nous consacrer. L'argent est souvent placé comme l'objectif à atteindre alors que dans les faits, il en est le résultat.

Malgré les préjugés négatifs entretenus à l'égard de l'entrepreneur et de sa notion de l'argent ou du profit, maints ouvrages soulignent que l'argent n'est pas un objectif pour l'entrepreneur, mais plutôt un moyen d'assurer son autonomie, d'améliorer sa situation financière et de concrétiser de nouveaux projets. Pour l'entrepreneur, le seul motif monétaire ne suffirait pas à résister aux difficultés à surmonter tout au long de la mise en marché de son projet. Il en est de même pour nous.

L'argent est un résultat, le fruit du travail, ce qui permet d'évaluer notre performance, de rectifier notre parcours, de nous donner le moyen de réaliser de nouveaux objectifs. Faire de l'argent le fondement de notre motivation, c'est risquer d'avoir courte vue sur notre vie sur le marché du travail. C'est un peu comme si nous cherchions à faire la collecte des oeufs alors que dans le poulailler, il n'y a pour toute volaille qu'un coq! «*Tout l'monde y veut d'l'argent*», comme dit Gilles Vigneault. Nous avons besoin de ce «résultat» pour assurer notre autonomie, améliorer notre situation financière et concrétiser de nouveaux projets. Pour que ce résultat prenne forme, nous avons d'abord besoin de nous consacrer à la mise en marché de nos services, ce qui sous-entend la définition d'un projet, d'un objectif professionnel véritable.

Dans les entreprises, plusieurs gestionnaires appliquent ce qui est appelé «la gestion par résultats». Connaissant les résultats attendus, le travail consiste à clarifier le but à poursuivre, à définir un plan d'action détaillé, à procéder à un suivi régulier et rigoureux, à nous donner des moyens de contrôle et à communiquer avec les autres de façon intéressée et soutenue. Sachant que l'argent fait partie des résultats attendus, clarifions nos véritables objectifs!

Puis, enfin dis-moi,
que vois-tu, qu'y a-t-il donc, là haut?
Là haut?
Je ne vois que le ciel et les étoiles.
S.D.

Le prestige et le pouvoir

À la manière de l'argent, la recherche du prestige ou du pouvoir peut, à son tour, être une forte motivation, mais une bien maigre consolation. Un cadre ayant lui-même quitté une importante industrie papetière dit un jour:

«*J'ai rêvé de pouvoir et de prestige tout au long de ma carrière, jusqu'à ce que j'arrive au sommet et l'atteigne. Au moment où j'aurais pu en jouir, j'ai fait face au mur du vide et de la solitude. Ma carrière m'est apparue comme une lutte personnelle qui ne rimait plus à rien. Je crois que mon objectif n'en était tout simplement pas un, puisque son atteinte n'avait rien de satisfaisant.*»

L'entrepreneur semble davantage motivé par un besoin de réalisation que par un besoin de prestige ou de pouvoir. S'il aime exercer du pouvoir et jouir du prestige que cela lui rapporte, l'entrepreneur vise surtout l'autonomie, le pouvoir de prendre des décisions et celui d'agir sur son environnement. Comme de nombreux entrepreneurs disent créer leur entreprise pour être leur propre patron, plusieurs sont d'avis qu'il est souhaitable d'être entouré de gens d'équipe plutôt que d'employés qui leur seront soumis. La notion de prestige et de pouvoir perd donc beaucoup de son essence lorsque nous choisissons de collaborer, c'est-à-dire de travailler ensemble à une oeuvre commune.

Pures sont toutes les émotions
qui vous cueillent et vous élèvent;
impure est cette émotion qui s'empare de vous
et vous déforme.
Rainer Maria Rilke

Les peurs des autres

«Tu ne seras pas capable!» «Tu as déjà échoué une fois!» «Nous sommes nés pour un petit pain!» «T'as pas le profil pour devenir...!» «Oublie ça, c'est pour les autres!» «De toute façon, ça ne vaut rien!» Combien d'affirmations de ce genre sont véhiculées autour de nous? Dans la plupart des cas, les gens qui les transmettent ne visent pas à empêcher quiconque d'atteindre ses objectifs. Leurs propres peurs sont parfois si fortes qu'elles précèdent toute parole qui se voudrait encourageante. Bien qu'a priori nous ne voulions pas y prêter attention, nous héritons inconsciemment des peurs des autres. Bien que ces pensées ne nous appartiennent pas, elles guident nos actions ou encore les inhibent. Ces pensées, mêlées à celles qui nous sont propres, nous empêchent parfois d'exprimer ou de mettre à profit ce que nous savons faire et ce que nous savons être. Le fait de rendre conscientes les barrières qui nous freinent aide à les ranger dans les tiroirs auxquels elles appartiennent afin de pouvoir nous concentrer sur les actions nécessaires à la réalisation de nos objectifs.

Très tôt dans son enfance, l'entrepreneur s'est posé le défi de contester les règles et de remettre en question les affirmations susceptibles de nuire à son autonomie d'action. Il ne faut pas croire pour autant que son indépendance d'esprit et son besoin d'autonomie lui évitent de se plaindre d'isolement. Au contraire, le soutien du conjoint, l'approbation d'un conseiller, l'écoute d'un confident lui sont très précieux comme à bon nombre d'entre nous. Pour une personne qui vise à entrer sur le marché du travail, le soutien, l'approbation et l'écoute des autres sont des choses fondamentales.

L'entrepreneur s'éloigne des commentaires qui ne lui sont pas utiles et choisit les personnes avec lesquelles échanger, se confier, ce qui lui est nécessaire pour arriver à surmonter les obstacles inévitables qu'il rencontre sur son passage. Comme il n'est nul besoin d'être un entrepreneur pour faire de même et sachant que les obstacles sont inévitables pour tout le monde, il est utile de nous entourer de gens disposés à nous écouter. De même, nous pourrons un jour être pour eux cette oreille qui, dans le silence de son accueil, exprime bien plus que ce que toute bouche ne saurait dire.

Celui ou celle qui ne commet aucune erreur
réalise rarement quoi que ce soit.
William Connor Magee

La perfection

La recherche de la perfection en conduit plusieurs à l'incapacité d'agir sur leur environnement. Dans cet ordre d'idées je place la recherche de la perfection dans la catégorie des faux-guides, puisqu'elle peut être un frein à la réalisation de soi et à celle de quantité de projets réalistes et réalisables.

Bien qu'il vise à bien faire ce qu'il fait, l'entrepreneur ne recherche pas la perfection. Sa façon de travailler permet une réflexion rigoureuse, mais laisse place à beaucoup de vivacité et d'intuition. Il a aussi conscience qu'une décision peut entraîner un échec. Si cela survient, il s'en servira comme élément d'apprentissage, comme source de croissance.

L'entrepreneur investit beaucoup de temps et de minutie dans la recherche d'information. Pour lui, l'information est vitale à la réussite de son projet. Il se tient donc à l'affût de tout ce qui est lié à son domaine d'activités et ce qui peut être utile à la qualité ou à la pertinence de ses projets. S'il est convenu que l'entrepreneur a du flair, c'est en grande partie parce qu'il s'approprie l'information et l'interprète afin de l'utiliser à son avantage.

La recherche de perfection est un sentiment louable, mais elle peut aussi faire dévier un projet professionnel. Ce fut le cas pour Luce qui avait consacré des mois à préparer un projet qu'elle entendait soumettre à une agence de publicité. Bien qu'elle n'eût aucune idée des besoins de l'agence, elle avoua avoir l'intention d'élaborer au mieux son projet afin d'en maîtriser le contenu au moment de sa présentation à l'agence. Chaque détail du projet était relevé d'explications et de justifications à l'appui. Rien ne semblait lui avoir échappé. De plus, elle avait déjà investi près de mille dollars pour la réalisation d'une bande vidéo conçue pour mettre en valeur ce qu'elle présentait. Le projet avait pris des proportions telles qu'il semblait déjà réalisé. Bien qu'elle reçut des félicitations pour la rigueur de son travail, l'agence lui fit part que tel qu'il était soumis, son projet ne pouvait être commercialisable, répondant difficilement aux besoins de leur marché. Luce fut informée des besoins et du profil de leur clientèle ainsi que des orientations de l'agence quant au développement de nouveaux produits. Elle fut invitée à soumettre de nouveaux projets et on lui recommanda de ne présenter à l'avenir que le sommaire de ses projets. De cette façon, l'agence pourrait rapidement se faire une idée de ceux-ci et, au besoin, lui demanderait d'en développer un en lui fournissant l'information qui pourrait faire en sorte que son projet devienne réalisable.

Pour une personne à la recherche de la perfection, la barre des exigences n'est jamais assez haute. Il va de soi que Luce vécut à ce moment beaucoup de frustration. Sa recherche de perfection n'avait pas, cette fois-là, été renforcée comme l'aurait fait une réponse positive. Nul doute, cependant, qu'elle apprit beaucoup de cette expérience. Elle avoua même:

«*Mon projet devait être si parfait qu'il en est devenu rigide, inflexible. Jamais je n'ai eu l'idée, ne serait-ce qu'un instant, de confronter d'abord mon projet au test de la réalité. J'ai voulu bien faire, c'est tout!»*

En effet, même si son projet n'avait pas été retenu dans les conditions présentées, Luce avait démontré à l'agence qu'elle pouvait bien faire ce qu'elle faisait. Elle savait maintenant sur quoi mettre l'accent pour rendre réalisables ses futurs projets.

Un professeur de cinquième année du primaire faisant la dictée:
«La sécurité est une situation
dans laquelle quelqu'un n'est exposé à aucun danger.»
Un élève perplexe demanda aussitôt:
«Dans le dictionnaire de quelle planète, madame,
vous avez pris ça?»
S.D.

La sécurité

S'il est quelque chose qui est très peu en vogue sur le marché du travail actuel, c'est la sécurité d'emploi. La sécurité d'emploi ainsi que la recherche d'un revenu stable accompagné d'augmentations régulières de revenus et d'avantages sociaux alléchants sont des conditions qui prévalent dans un contexte de prospérité ou de croissance économique.

À mi-chemin entre une période de décroissance et la recherche de créativité, les entreprises sont impuissantes à satisfaire le besoin de sécurité nourri à l'égard d'un emploi. La perte de cette forme de sécurité est une occasion d'apprendre à investir dans nos ressources personnelles. Quelqu'un m'a dit un jour: «*Personne ne peut m'enlever mes rêves, mon imagination, tout ce que je nourris en moi!*»

C'est un peu de cette façon que je vois la sécurité: quelque chose que j'apprends à nourrir en moi et qui trouve sa véritable force dans ce que je reconnais m'appartenir et que je mets à profit pour moi-même et pour les autres. Malgré chaque tempête, malgré les incertitudes du climat, la personne unique que je suis, avec mes forces, mes motivations, mes centres d'intérêt et mon potentiel, m'offre la plus authentique sécurité: celle de m'accompagner chaque jour, et ce, pour le reste de ma vie!

La performance est un résultat obtenu, non pas à obtenir.
Le mot «performer», quant à lui, n'existe pas
dans la langue française.
S.D.

La performance

La course à la performance orientée vers la compétition avec autrui est aussi un faux-guide. À l'image du marathonien, l'entrepreneur affirme que dépasser son propre record est plus satisfaisant que de battre les autres. Ainsi, il a tendance à lutter contre ses propres objectifs, puisqu'il rivalise avec lui-même. Dans le contexte actuel du marché du travail, j'hésite à utiliser les mots «performance» ou encore «excellence». Tant de valeur et de manchettes leur ont été prêtées, souvent au détriment du respect des limites individuelles et collectives, qu'ils ont laissé chez plusieurs des références qui frôlent l'amertume.

Je préfère de loin l'utilisation du terme «amélioration continue», parce que je considère que quel que soit notre rôle dans la société, nous sommes des êtres en constant devenir et que je n'ai à ce jour rencontré quiconque qui puisse sincèrement m'avouer qu'il n'a plus rien à découvrir le concernant. Nous avons beaucoup plus à gagner en visant la collaboration plutôt que la compétition, laquelle nous place constamment en rapport de force avec autrui. Nous sommes à l'ère de l'information, ce qui tend à vouloir signifier que nous avons besoin d'échanger, de partager l'information, de comprendre nos besoins afin de comprendre ceux des autres.

L'un de mes voisins policier, nouveau navigateur sur Internet, me fit part d'une conversation qu'il a tenue en temps réel avec un policier allemand. Il m'avoua qu'en l'espace de quelques minutes, il avait appris à comprendre et à partager des problématiques similaires aux siennes et à échanger de l'information intéressante sur leur pratique professionnelle. En concluant notre conversation, il me dit, perplexe: *«C'est étrange, n'est-ce pas, que par ailleurs, il soit si difficile de prendre le temps d'écouter et de comprendre les idées, opinions et besoins de ceux qui ne sont qu'à deux pas de nous!»*

Le destin n'est pas chose du hasard,
mais un choix à faire.
Ce n'est pas une chose qu'on doit attendre,
mais accomplir.
William Jennings Bryan

Le hasard

Combien de choses nous faisons porter au hasard! Le hasard n'a pour moi aucun lien avec le fait de faire confiance en la vie, ce qui, à mon point de vue, est une attitude très légitime. À plusieurs reprises, des personnes m'ont avoué remettre leur sort entre les mains de la providence, ajoutant qu'elles iraient là où leur destin leur présenterait le chemin. La première fois que je me suis retrouvée devant un tel aveu, j'ai hésité à associer cette attitude à ceux qui disent favoriser le hasard ou la chance. J'ai mis quelque temps à y réfléchir. D'une part, je ne voulais en aucun cas dénigrer toute appartenance à un ordre philosophique ou spirituel et, d'autre part, je ne pouvais négliger le cadre dans lequel nous avions à travailler. Croyant marcher sur des oeufs, j'essayai de délimiter à partir d'où cette façon d'être commence et où elle s'arrête, compte tenu des objectifs que nous devions poursuivre. J'ai soumis la question à un groupe d'étudiants intéressés. Voici la conclusion autour de laquelle une majorité s'est ralliée et qui a vite fait de remettre ma préoccupation existentielle au bon endroit:

«Compte tenu que nous visons à entrer sur le marché du travail et savons que sans chercher à devenir entrepreneur, nous avons tous une prédisposition favorable à l'engagement, nous concluons que nous avons tout avantage à mobiliser, rassembler et organiser les choses en modifiant continuellement nos comportements et attitudes, de sorte que ce que nous choisissons d'atteindre le soit effectivement.»

L'entrepreneur est celui qui fait en sorte que les choses arrivent. Chacune de ses réalisations n'est pas le fruit du hasard, mais le résultat de son travail et de la connaissance qu'il a de lui-même, c'est-à-dire de ses forces, de ses habiletés et aussi de ses faiblesses. Avec ce qu'il connaît de lui, l'entrepreneur fixe ses buts et se crée un projet dans lequel il cible les moyens et les démarches nécessaires pour faire en sorte que les choses arrivent.

L'entrepreneur crée donc sa chance, puisqu'il est le propre réalisateur de son destin. Plusieurs entrepreneurs révèlent même qu'ils visualisent leur succès, le mettent en scène mentalement dans chacune de leurs actions. La réussite ainsi nourrie en eux leur donne le pouvoir nécessaire pour agir sur leur environnement et adapter leurs actions et leurs attitudes afin d'atteindre leur but.

Deux amis en conversation:
As-tu acheté tes billets de loterie?
J'en n'achète pas cette semaine.
Pourquoi donc?
Je sens que je n'ai pas le contrôle de mes planètes.
S.D.

Les attentes

En intervention auprès des groupes, je propose un exercice dans lequel les gens ont à déterminer leurs besoins à l'égard d'un travail et à l'égard d'une organisation. Vient ensuite le moment de classer les énoncés sous deux catégories: celle des besoins et celle des attentes. La différence majeure entre les deux catégories est que ce que nous exprimons comme étant un besoin est quelque chose qui peut dépendre de nous ou de nos actions et sur laquelle, donc, nous pouvons avoir du contrôle, tandis que chaque énoncé lié aux attentes est fonction d'une personne autre que nous, de l'environnement ou de forces que nous ne pouvons contrôler ou encore que nous n'avons tout simplement pas à contrôler.

Lorsque nous terminons l'exercice, les étudiants découvrent avec stupéfaction que le total des énoncés qui figurent sous les attentes est, de très loin, supérieur à celui des énoncés classés comme des besoins. Les attentes réduisent notre capacité d'intervention au regard de nos objectifs. Il place notre pouvoir à néant. Chacune de nos attentes est une source génératrice de frustration et de démotivation.

Il est arrivé à chacun, pendant son sommeil, de faire un rêve dans lequel il voulait désespérément crier alors qu'aucun son n'arrivait à sortir de sa gorge, ou encore, de vouloir courir, fuir un obstacle et de ne pas arriver à avancer.

C'est la même chose qui se produit avec les attentes. Elles paralysent l'action, contrôlent notre vie. Il ne s'agit pas pour autant de les mettre de côté et de les renier. Nous devons plutôt les reformuler de manière à replacer le pouvoir entre nos mains. Que nous soyons déjà sur le marché du travail ou que nous voulions y trouver une place, l'exercice d'analyse des besoins permet de découvrir ce qui nous empêche de nous exprimer et d'agir ou encore ce qui génère en nous insatisfaction et démotivation. Voici quelques «faux besoins», des attentes citées à maintes reprises:

- ***«J'ai besoin de gratification de la part de mon employeur.»***
  Question à se poser: Qu'est-ce que je peux faire pour rendre mon travail gratifiant à mes yeux?
- ***«J'ai besoin de travailler dans un climat de travail harmonieux.»***
  Question à se poser: Qu'est-ce que je peux faire pour créer de l'harmonie autour de moi?
- ***«J'ai besoin de travailler pour une entreprise qui me respecte.»***
  Question à se poser: Qu'est-ce que je peux faire pour me respecter moi-même, honorer mes limites, avoir en considération la personne que je suis?
- ***«J'ai besoin d'un travail satisfaisant et bien rémunéré.»***
  Questions à se poser: Quels sont les services que j'ai à offrir? À qui cela m'intéresse-t-il de les offrir? Quelles démarches vais-je prioriser pour les offrir?

Lucifer, Lucifer, t'as profité d'ma faiblesse
pour m'faire visiter l'enfer.
Mais je t'en veux pas, c'est moi

qui a pensé que j'pourrais être chum avec toi.
Mais j'm'ai ben faite avoir,
mon chien de Lucifer.
Seigneur, Kevin Parent

L'adversaire en soi

En chacun de nous sommeille un allié. Cet allié est en quelque sorte cette partie de nous qui nous assiste au mieux dans la réalisation de nos entreprises, nous permet de trouver les solutions à nos difficultés, la force pour les affronter, l'énergie pour atteindre nos objectifs, la confiance en soi, l'enthousiasme, et combien d'autres attributs sans lesquels nos vies seraient bien sombres.

Cet allié occupe une place vitale en chacun de nous. Si nous reconnaissons la présence de cet allié, nous devons aussi reconnaître son contraire, c'est-à-dire l'adversaire: un critique de taille, un prestidigitateur passé maître dans l'art de mettre en forme nos faiblesses, un entrepreneur en constructions mentales, un metteur en scène hors pair qui s'occupe à nous faire tenir des rôles qui peuvent faire obstacle à un projet ou à notre esprit d'entreprise.

L'un ne va pas sans l'autre, puisque ces deux «parties» forment ce que nous sommes. L'adversaire en nous devient cependant un faux-guide lorsque nous en faisons notre allié. Lorsque nous nous méprenons à son sujet et lui accordons tout le pouvoir de contrôle sur nous, notre véritable allié ne trouve plus de place pour s'affirmer. Les conséquences peuvent prendre plusieurs formes: le repli sur soi, la fermeture aux autres, le négativisme, l'esprit de contestation, la méprise envers les autres ou l'environnement, la recherche de coupables, le transfert de responsabilités sur les autres, le défaitisme, l'agressivité, la confrontation, le mensonge.

L'adversaire profite de nos malaises ou de nos peurs pour s'installer. Devant tout changement pour lequel nous nous sentons mal outillé, l'adversaire s'invite allègrement et prend des proportions fulgurantes si nous le laissons trop largement nous guider. Pour lui, la situation de perte d'emploi est un terrain de jeu idéal si nous considérons toutes les peurs et pertes qui peuvent s'y trouver associées, la période de transition qui l'accompagne, le cumul de conflits non résolus, les difficultés financières qui ne manquent pas de se pointer, le faible soutien de l'environnement et parfois même la rupture avec le conjoint déclenchée par l'événement.

La peur est un signal vital qui nous prédispose à nous protéger devant le danger. Cependant, lorsque la peur nous domine, elle ne peut plus remplir son rôle utilitaire, car elle aveugle nos comportements et attitudes et c'est là que l'adversaire a l'opportunité de prendre des proportions considérables.

Pour éviter que l'adversaire nuise à la réalisation de nos entreprises, il est important tout d'abord d'admettre sa présence, de le reconnaître en nous et, à l'image d'un projecteur de scène, de faire la lumière sur lui, de le suivre comme pour regarder où il va, ce qu'il fait, en quelque sorte de devenir un spectateur averti des rôles qu'il nous fait tenir. Nous pouvons ensuite, avec vigilance, le remettre à sa place, dans sa juste proportion. Il est si facile à reconnaître qu'il ne peut nous méprendre: il juge, critique, dénigre, condamne, sermonne, nous raconte toutes sortes d'histoires, cultive la méfiance, l'inquiétude et se nourrit de nos soucis. Il s'amuse à nous accabler, obscurcit tout sur notre chemin et fait porter aux obstacles le masque de la défaite.

L'adversaire en nous est toutefois un critique fort utile lorsqu'il nous aide à agir avec discernement et à faire les choix qui nous sont les mieux adaptés. Cependant, lorsqu'il ne travaille plus pour nous, nous en devenons sa victime.

Pour que l'adversaire en nous garde sa place utile, nous devons nous permettre de vivre chacune de nos déceptions, professionnelles ou autre, et éviter de nous en protéger inutilement. L'adversaire en nous n'est plus un faux-guide aussitôt qu'inconditionnellement, nous lâchons prise à nos souffrances. Un nouveau jour ne manque pas de se lever ensuite.

Du XVIIe jusqu'à la fin du XIXe siècle, le seul métier où la demande demeurait supérieure à l'offre était celui de bourreau. Jamais il n'eut aussi sordide métier que celui-là. Même les charretiers qui vivaient du transport de marchandises répugnaient à s'associer au bourreau et à conduire à l'échafaud un condamné ou à attacher à leur voiture un prochain à flageller. Devant le manque de volontarisme, on décréta sur ordre du roi que tout charretier inscrit comme tel de métier, devait, selon un rôle prescrit, servir l'autorité judiciaire sous peine de se voir retirer le droit de louage attribué à ses services.

Jos Mallarmé n'était pas de ceux-là. Il était charbonnier. Durant toute la belle saison, il veillait à garder allumé un feu ardent qui servait à produire du charbon. Installé en amont de la rivière Rimouski, avec son éternelle solitude et une foi inébranlable, il donna à son métier une âme qui sembla se transmettre d'une génération de charbonnier à l'autre. Un soir de belles étoiles, il sortit comme de coutume de son camp en bois rond pour tirer de son harmonica des sons d'offrande à la beauté du ciel. Il n'avait pas sitôt commencé, qu'un homme bondit derrière lui, le menaçant d'une grosse pierre à feu.

«Ne joue pas de cet instrument. Je ne le supporte pas! T'as compris? Jette-le par terre!

— Calme-toi. Ce n'est qu'un harmonica!

— J'ai dit jette ça par terre, tout de suite!

— Voilà! C'est fait! Qu'est-ce que tu fais ici? Tu m'épies?

— J'ai autre chose à faire qu'épier un gars plein de suie que tous répudient.

— Qui es-tu pour juger mon métier? As-tu obtenu des honneurs qui me valent pareil mépris?

— Je suis... J'étais... J'ai reçu un titre par commission du roi.

— Ce titre te donne-t-il le droit d'envahir mon territoire, de te dresser devant moi, pierre en main, et de me menacer de représailles si je n'abandonne pas quelque chose d'aussi inoffensif qu'un petit harmonica?

— De tous mes privilèges, celui de tuer vient au premier rang.

Ne t'avise surtout pas de me provoquer!

— Alors, mes révérences, bourreau! Quel bon vent t'amène si loin de Charlesbourg?

— Comment t'as deviné?

— À trop parler, qui vient de loin parfois se trahit!

— T'as inventé un nouveau proverbe?

— Sache que dans les bois, bourreau, les proverbes s'ajustent bon gré mal gré. On leur donne l'allure des circonstances, car la mort partout guette celui qui ne sait s'adapter!

— Tais-toi, la mort, je fuis. Évite qu'à nouveau sorte de ta bouche maudite ce mot, mon pire ennemi.

— Lequel du mot ou du souvenir te tourmente autant l'esprit? De qui, du roi ou de toi, te caches-tu en cette nuit?

— Je t'ai dit de te taire! Je ne puis souffrir un instant encore un seul autre mot de ta bouche! Toi, le sale, le mal lavé!

— D'accord, je me tairai, juste après t'avoir rappelé que c'est toi qui es sur ma route. La tienne, je n'en ai que faire. Si loin de la haute ville, je suis mon propre chemin. Mon Dieu est mon roi. Il me paie de chaque lendemain. Ma peau t'apparaît sale, comme tu dis, mais sois assuré que ma foi est pure et claire comme l'eau de cette rivière. Je peux supporter tous les ragots à l'égard de ce métier qu'est le mien, puisque chaque obstacle affronté devient cadeau. Il est cependant une chose que je tolère très mal. C'est quand je rencontre un gars, la trouille aux fesses, qui me raconte qu'il a le pouvoir de tuer et qui menace d'une pierre à feu un gars qui n'a rien d'un condamné. Non. Ça, je l'avoue, je supporte très mal!

— Ça t'est arrivé souvent?

— Bien sûr, j'en fais une habitude! Chaque bourreau j'attire vers mon âtre avec mon harmonica. Je ne sais d'ailleurs pas pourquoi! Question de vibrations, j'imagine!

— Tu te moques de moi?

— Quelqu'un sous la menace d'une pierre à feu, voudrait-il, selon toi, se moquer de son assaillant?

— Tu es un finfinaud, toi!

— Un charbonnier, tout simplement!

— J'aime pas ça, les gars dans ton genre.

— À part la suie, puis-je te demander c'est quoi un gars dans mon genre?

— C'est un gars qui joue dans la tête des autres.

— Tu préfères le style repenti?

— Qu'est-ce que tu veux dire?

— Tu sais, le style au regard tout plein de la potence, qui te supplie entre chaque coup de fouet de lui accorder ta clémence?

— T'as déjà été bourreau?

— Ça paiera jamais assez!

— Moi, on m'y a forcé.

— T'es une victime de la société?

— Plutôt un condamné à mort.

— T'as un confident moral?

— Ne te fous pas de ma gueule! Ce que je te dis est vrai.

— Y a-t-il des gens que tu as tués et qui t'ont semblé innocents ou avoir dit toute la vérité?

— Je ne suis pas la justice, je n'en suis que l'exécuteur.

— Beau métier! Tu dois avoir beaucoup d'amis! J'espère au moins que t'as la sécurité d'emploi. Ça semble parfois consoler.

— J'ai tous les tas de trucs qui viennent avec le métier, mais... seule une femme, je n'ai pas.

— Avoue que ça effraie un peu, les gars comme toi.

— T'es pas mieux que moi!

— T'as bien raison. J'ai pas de femme. Mais j'suis pas malheureux pour autant! La fin de la saison venue, j'irai voir les belles à la ville. J'ai fait le choix de ce métier et, avec lui, de plusieurs mois de solitude. En passant, tu ne m'as pas dit ton nom!

— Rattier,... Georges.

— À moins que vous ne me "ratiez" , moi je ne vous épargnerez guère. T'as dû dire ça souvent!

— Tu grattes le fer dans ma plaie, sale charbonnier!

— Je m'amuse un peu, ne vois-tu pas? Assieds-toi avec moi près du feu. On va se raconter nos vieilles histoires.

— J'ai rien à raconter.

— On a tous une histoire à raconter. Je commence avec la mienne et tu poursuis avec la tienne! Ça s'intitule "La bête à sept têtes" et ça commence ainsi:

Un jour, après la mort d'une horrible bête à sept têtes qui enlevait toutes les filles du village, un charbonnier s'en alla confiant vers le château du roi. Au roi qui le reçut, il dit qu'il avait tué l'animal et qu'il deviendrait ainsi le mari de la princesse; la dernière fille du village ayant échappé à la mort. Pour prouver sa bravoure, il déposa devant le roi les sept têtes de la bête. Sur le champ, Ti-Jean, le fier-à-bras du village, surgit avec les sept langues qu'il dit avoir soutirées des têtes après avoir tué la bête. Le roi, regardant l'un et l'autre, ne faisant ni deux ni trois, dit à Ti-Jean qu'il deviendrait l'époux de la princesse. Quant au charbonnier, on l'enferma dans une cage qu'on fit brûler sur des charbons ardents. Depuis ce temps, une chanson est née et qui va comme suit:

"Je ne veux pas d'un charbonnier
Il est tout barbouillé
J'aimerais mieux un habitant
Pour passer ma vie au champ
Rouler en petite charette
Maluron, malurette."

Avec un peu d'harmonica, c'est certain que ça sonnerait mieux! Mais tout de même, c'est ça mon histoire.

— C'est à mon tour?

— Vas-y!

— J'ai échappé à la prison en acceptant de devenir bourreau. J'ai pris la place d'un Noir qu'on avait acheté pour remplir le mandat et qui est mort après seulement deux mois de métier. Personne n'a voulu le remplacer. Moi, c'était ça ou mourir. Durant 23 ans, j'ai fait mourir les autres à ma place. La semaine dernière, on m'a dit que dorénavant, je serais mis au temps partiel. L'amende honorable a pris le dessus sur tous les autres châtiments. Les temps changent. On m'a dit de penser à trouver autre chose, car le roi ne veut pas payer pour des services occasionnels que ses gardes du corps peuvent remplir. Je me suis enfui. Je ne pourrai jamais trouver autre chose! Tuer, châtier est mon seul métier.

Un métier désormais disparu. Qui, crois-tu, voudrait embaucher un homme comme moi?

— T'as pas une chanson qui vient avec ça?

— Tu continues à te moquer de moi?

— Un pince-sans-rire, en moi, ne reconnais-tu pas? Y'a une chanson que je connais qui parle de la fille d'un bourreau et dont le titre est "Le long de la mer jolie". Tu permets que je fasse une note ou deux d'harmonica, juste pour introduire?

— Pas une seule note!

— Tant pis! J'ferai la musique dans ma tête.

"Belle, embarquez, belle, embarquez dans mon gentil navire
Le long de la mer
La jolie mer
Le long de la mer jolie.
Mais quand la bell' fut embarquée, ell' rougit, elle soupire.
Qu'avez-vous, qu'avez-vous donc, qu'avez-vous à soupirer?
Mon beau galant, si tu savais de qui je suis la fille!
Je suis la fille du bourreau, le plus gros de la ville.
Bell', débarquez, bell', débarquez de mon gentil navire!"

— Tu vois! T'as la preuve! Y'a pas de place nulle part pour moi ni pour la descendance que je n'aurai jamais.

— Tu t'entêtes à voir le mauvais côté des choses, alors que dans la vie, y'en a toujours deux.

— Moi, c'est pire. Y'a pas d'autre côté.

— Tu te mets toi-même dans le pétrin, vieux. C'est mauvais ça! Tu resteras pas longtemps dans les bois avec une tête de condamné à mort!... Non, excuse-moi, je dirais plutôt... une tête de boeuf!

— Prends-moi pas pour un ti-coune, une tête de boeuf, ça veut pas dire la même chose! Parce que si j'en avais vraiment une, je retournerais à Charlesbourg dire moi-même au roi que son traitement est indigne de mes loyales années de services. Je lui prouverais que je peux faire autre chose: conduire ses charettes, aider aux cuisines, assurer sa protection physique lors de ses déplacements, prendre soin des bêtes, faire pour lui enquêtes et rapports!

— Tu l'aimes beaucoup ton roi!

— Je le respecte, c'est pas pareil.

— Dans ces conditions-là, j'suis pas mal certain qu'il t'écoutera.

— Tu crois?

— Qu'est-ce que t'attends?»

Le bourreau partit, on n'entendit plus sur la rivière Rimouski, que l'écho d'une belle solitude. Certains soirs de belles étoiles, en terminant sa routine sur quelques notes d'harmonica, le charbonnier croit chaque fois entendre de l'autre côté, au loin, à l'Est de la rivière, le son d'un autre harmonica. Une musique qui répond à la sienne et qui s'éternise dans la nuit pour bercer les étoiles, pour garder allumé le feu du charbonnier et annoncer à tous ceux qui ont peur qu'un jour nouveau est là, tout prêt à se lever.

Les stratégies s'imposent d'elles-mêmes
lorsqu'on a une vision.
Robert Fritz

Dans les entreprises, il est de plus en plus question de vision. Particulièrement chez les gestionnaires, cette attitude recherchée prend la forme d'une valeur qui permet l'émergence d'attitudes proactives par rapport aux opérations. Si l'adaptation continue des entreprises aux conditions changeantes de leur environnement est reconnue comme étant cruciale à leur survie, il faut éviter par ailleurs de créer des conditions dans lesquelles les collaborateurs ne font plus que réagir aux changements. Après avoir vécu pareille situation, de nombreux dirigeants d'entreprises ont compris la valeur de la vision et souhaitent la voir s'exprimer chez leur personnel.

Il en va de même pour la personne qui vise son insertion dans le marché du travail. Sans vision, elle devra constamment réagir, donc soumettre sa capacité d'adaptation à une série interminable de défis improductifs, ce qui risque fortement de la démotiver puisque l'énergie nécessaire pour atteindre des objectifs valables se retrouve entièrement utilisée à rechercher de nouveaux moyens de défense contre des obstacles qui adorent se multiplier lorsqu'ils trouvent une terre fertile à la réaction.

«*Lorsqu'on a une vision, les stratégies s'imposent d'elles-mêmes*», cite Robert Fritz.[9] Avoir de la vision, c'est se détacher de sa proche réalité pour apercevoir une réalité plus globale en lien avec plusieurs réalités différentes. Privé des limites que dresse devant nous le fait de considérer les choses en parties, nous pouvons faire preuve de vision,

9. FRITZ, Robert. **Apprenez à découvrir la force créatrice de votre vie**, Montréal, Éditions Libre Expression, 1991.

c'est-à-dire voir de nouvelles perspectives qui, fortes de leur pouvoir, nous placent en situation de proaction.

Exercer notre vision, c'est apprendre à nous voir sur une route en oubliant temporairement de prendre les sorties de secours, de sorte que sur cette route puisse émerger ce projet qui nous tient à coeur, d'abord dans son ensemble, puis dans chacune de ses parties. Pendant que nous sommes occupé à ce faire, des plans de construction se dessinent peu à peu sans que nous ne connaissions quoi que ce soit à l'architecture.

Nous pouvons faire preuve de vision à chaque fois que nous apprenons à nous détacher de l'emprise des obstacles pour en survoler les limites au lieu de nous laisser posséder par elles. Nous pouvons aussi faire preuve de vision à chaque fois que nous apprenons à considérer une personne dans son ensemble au lieu de réagir à l'une de ses parties ou de l'évaluer en fonction de l'une d'elles.

À chaque fois que nous nous exerçons à définir notre rôle et la valeur de celui-ci pour nous-même, pour une entreprise ou une collectivité, surgit une façon créative de ranger bien des obstacles et d'inviter en notre direction ces stratégies qui s'imposent d'elles-mêmes.

On dit parfois d'une personne: «*On dirait que tous les problèmes lui tombent sur le dos!*» et d'une autre: «*On dirait que les idées lui viennent toutes seules!*» Que nous évaluions l'événement de façon positive ou négative, nous faisons référence à une même dynamique. Les problèmes ou les idées s'imposent à nous, selon le cadre à partir duquel nous vivons une situation ou la façon avec laquelle nous la traitons. Étant nombreux à vivre différemment les choses ou à traiter une même situation sous des angles différents, il y a autant de façons de vivre une même situation qu'il y a de façons de la traiter. Par conséquent, il y a autant de probabilités que s'imposent à nous des problèmes que des idées. La seule différence entre l'émergence des uns et des autres est le niveau de vision.

L'expérience n'est pas ce qui arrive à un homme;
c'est ce qu'un homme fait
devant ce qui lui arrive.
Aldous Huxley

Ma vie professionnelle est sous ma responsabilité

Rien ni personne d'autre que moi n'a le pouvoir de choisir, d'améliorer ou de changer l'attitude avec laquelle j'aborde ma vie professionnelle. Puisque la qualité de ma vie professionnelle dépend de mes choix, de mes actions et de mes croyances, je me reconnais donc comme étant la seule personne qui puisse faire en sorte que les choses arrivent.

Pour cela, je dois cesser de blâmer les autres personnes, les entreprises, la société parce que c'est à partir de mes propres perceptions et de mes propres limites que j'évalue les choses.

Puisque je suis fondamentalement une personne capable d'entreprendre, de réaliser ce qu'elle est en agissant sur son environnement, je cesse de réagir à mes faiblesses, aux autres, à mes peurs et prends l'initiative d'agir de façon constructive pour m'approprier ce potentiel créateur qu'est le mien et en faire bénéficier les autres et les encourager à faire de même.

Je range à leur place les scénarios du passé ainsi que tout ce sur quoi je n'ai aucun pouvoir et m'engage à procurer une vision à ma vie professionnelle; c'est-à-dire à la situer dans une perspective élargie de façon à découvrir des possibilités, des pistes, des routes à prendre pour que cette dimension de ma vie ait une signification véritable à mes yeux.

Prenez garde, je ne donne ni discours ni don de charité.
Lorsque je donne, je me donne.
Walt Whitman

Il est difficile de faire des choix lorsque je m'éloigne de ce que je suis. Je suis ma principale référence, mon propre guide en matière de choix. Rien ni personne ne pourra m'offrir la certitude que j'ai pris la «bonne» décision, fait le «bon» choix, puisque je suis la seule personne qui puisse rendre ces choix significatifs. Je sais aussi que risquer d'avancer malgré le désespoir, c'est risquer de devenir moi-même.

Les meilleurs choix sont ceux dans lesquels se forment mes propres valeurs et besoins, et c'est en explorant ce que je suis que je pourrai donner un sens à ma vie personnelle et professionnelle. Si je ne fais aucun choix, si je ne me crée aucun but significatif à mes yeux, comment saurai-je qui je suis?

Au-delà de ces parties de moi, jugées bonnes ou mauvaises, je suis ce que je projette d'être. Je suis ce que je fais de moi.

Je crée mon projet d'être à chaque fois que je me donne, à chacun de ces moindres instants où j'ai en respect l'être que je suis.

Il n'y a qu'un seul coin de l'univers que vous puissiez améliorer.
C'est vous-même.
Aldous Huxley

Je suis en apprentissage continu

Je suis en apprentissage continu, c'est donc que j'accepte ma nature avec ses défauts, avec ce qu'elle a d'imparfait. Comme l'a souligné Abraham Maslow: *«Personne ne songerait à se plaindre du fait que l'eau est mouillée ou que les pierres sont dures ou que les arbres sont verts.»*[10]

J'accepte ainsi ma propre différence ainsi que celle des autres, celle d'une entreprise, voire celle de la société, puisque c'est en leur sein que j'affirme mes propres imperfections.

Je suis en apprentissage continu, c'est donc qu'à chacune de mes initiatives sont associées autant de probabilités de succès que d'échec. Chacune de mes initiatives contribue à mon apprentissage continu

10. PAUCHANT, Thierrey, C. et collaborateurs. **La quête du sens**, Montréal, Éditions Québec/Amérique, 1996.

parce que c'est par chacune d'elles que j'aiguise mes facultés et reconnais mes potentialités. Qu'elles se révèlent être des succès ou des erreurs, j'en tire profit et elles me permettent de continuer à avancer.

Je suis en apprentissage continu, c'est donc que j'ai des limites que je suis en mesure de nommer. Plus je deviens conscient de mes limites, plus je deviens apte à les mettre à mon service.

Je suis en apprentissage continu, c'est donc que je m'améliore chaque fois que j'autoévalue mes apprentissages, trouve mes propres solutions, m'informe, développe des relations qui me sont significatives, confronte mes choix à la réalité et ajuste mon parcours.

Je suis en apprentissage continu, c'est donc que je découvre de nouvelles façons de faire et d'être et adapte les miennes afin d'atteindre mes objectifs. Je me crée ainsi des opportunités d'engagement, de créativité, d'innovation, de responsabilisation et y trouve ma motivation.

En visualisant, il nous est possible de vaincre les barrières psychologiques qui nous empêchent de mener à bien la plupart de nos actions.

Noëlle Philippe

Je suis mon chef d'entreprise

Je suis mon chef d'entreprise. Je vois ma vie professionnelle du haut d'un 21e étage dans un édifice que je partage avec d'autres, au plein coeur d'une région où s'expriment des besoins illimités. De là-haut, j'ai de la vision sur les marchés et l'horizon me pointe des perspectives. Je prends le temps d'observer et d'écouter. C'est moi qui décide de l'endroit où j'irai.

Je suis mon chef d'entreprise depuis le début de ma vie. Je garde donc une vision claire au-dessus d'elle. Je ne puis autrement évaluer les actions à prendre pour la redresser, la remettre en piste s'il m'arrivait de perdre pied.

Étant chef d'entreprise, je n'adhère à aucun principe susceptible de rendre aveugles mes actions. Je m'efforce plutôt de remettre celles-ci en question chaque fois que je le considère pertinent. Je n'ai de rigide que ma ténacité et ma volonté de bien faire ce que j'ai à faire, et de faire ce que je dis.

Du haut de mon 21e étage, je vois des gens avec qui je peux échanger, partager de l'information, des idées, des projets parce que je sais que je ne suis pas la seule personne à avoir découvert qu'elle est son propre chef d'entreprise!

Au fond de leur coeur, les hommes se partagent cette vérité: la seule façon de s'aider soi-même, c'est d'aider les autres.

Elbert Hubbard

Je suis en interaction avec les autres

Nul n'est une île! Je me perçois d'abord comme étant une personne à la fois singulière et plurielle vu ma place au sein des autres et mes possibilités d'échanger avec eux. Je ne m'évalue pas mieux ou pire que les autres. J'ai mes propres préférences, lesquelles ressemblent ou diffèrent de celles des autres. J'assume mes préférences parmi d'autres personnes qui assument les leurs.

C'est parce que je suis en interaction avec d'autres personnes que je peux définir ma propre identité, que je peux comparer, mesurer mes idées ou en accueillir de nouvelles.

Pour être compris des autres, je m'attarde à les comprendre, à découvrir leur monde, leurs façons de voir et de penser. Sachant qu'une personne n'est pas son comportement, mais un tout dont la complexité fait sa richesse, avoir de la compassion envers elle, c'est en avoir envers moi.

Quand mes relations sont authentiques, j'accède aux besoins des autres et je peux ainsi leur permettre d'accéder aux miens. Je ne peux attendre des autres ce que je ne peux moi-même donner et me donner. Je transforme mes attentes en gestes et en attitudes qui me font agir sur mon environnement.

Je suis en interaction avec les autres et développe mon orientation client. J'ai des services à offrir, comme ils en ont à m'offrir. Et j'ai à coeur de bien les offrir et de les rendre avec qualité, parce que j'aime aussi recevoir des services de qualité. En interaction avec les autres, des idées se rencontrent, s'entrechoquent, se développent. Des liens se tissent. Des pistes s'éclairent. Je me remplis de choses que j'avais gardées loin de moi.

J'apporte soutien aux autres et reçois pareil soutien. Je m'engage dans mon milieu, participe à des rencontres, échange des opinions et cela contribue à mes découvertes. La richesse qui résulte de l'interdépendance et le plaisir d'être en synergie avec autrui me font récolter le gain au lieu de semer la perte.

Quand je privilégie la collaboration, je m'éloigne de son contraire, la compétition. Lorsque je priorise la compassion, je m'éloigne de l'indifférence. Lorsque je crée, autour de moi, un réseau d'échanges, je m'éloigne de cette partie de moi qui craint de perdre, qui porte le poids de son propre isolement.

Le rêve est peut-être la seule réalité acceptable.
Félix Leclerc

Je cultive le rêve et en récolte des projets

Je cultive le rêve parce qu'il fait vivre. Le rêve donne un sens à ma vie. Le rêve me libère. Personne ne peut m'interdire de rêver, de contempler et d'imaginer de nouvelles façons de faire, de voir et d'agir. Le rêve m'assiste lorsque je questionne mon rôle dans cette société. Il m'aide à mettre des couleurs sur l'écran noir et blanc du temps.

Tout ce qui est vrai commence par un rêve, un rêve à nommer, un rêve à décrire, un rêve à mettre en forme, un rêve à défendre. L'histoire est pleine d'exemples de personnes qui se sont donné le droit de rêver et qui ont transformé leurs rêves en possibilités, en projets, en réalisations.

Les individus, les entreprises, la société, tous ont besoin de cultiver le rêve afin de récolter des projets qui répondent à des besoins sans hypothéquer indûment les ressources disponibles.

Un rêve en réalisation offre autant de garantie de succès que d'échec. Sa réalisation est faite d'apprentissages, d'ajustements, d'essais et erreurs. Avec un rêve, la sueur du travail se transforme en rosée hydratante. J'entends souvent dire: «*Nourris tes rêves! Va au bout de tes rêves!*» Moi, je m'abandonne à eux. Je les laisse m'hydrater!

Je donne vie à mes rêves. Tout ce qui a une valeur pour moi a le droit et le devoir de s'affirmer. Les rêves n'ont pas d'âge, de poids, de grandeur. Un rêve n'a rien de quantitatif puisqu'il vit d'abord de qualité. Le rêve que je n'ose pas m'accorder, celui que je ne fais pas naître, j'en porte l'ombre. Comme le grand vaisseau d'or de Nelligan, ma richesse je ne veux pas voir sombrer dans l'abîme du silence.

Lorsque je donne vie à un rêve, je me fais vivre aussi. Je donne vie à un rêve lorsque je me donne les moyens de le transformer en quelque chose de réel à partager.

Le pouvoir du rêve est indescriptible. Autant il peut donner un sens à ma vie, autant il peut servir aux autres, à une entreprise, à la société.

Qu'il se vive dans les petits gestes ou qu'il rassemble plusieurs personnes, chose certaine, le rêve influence ce que je suis ainsi que ceux qui m'entourent. Le rêve est un virus bienfaiteur qui a besoin d'un hôte pour vivre et devenir!

Si nous faisions tout ce dont nous sommes capables,
nous serions littéralement étonnés.
Thomas Edison

Je suis au-delà de ce que je crois être

En m'ouvrant à moi-même, aux autres et à mon environnement, je découvre un univers de possibilités au sein duquel je deviens mon propre projet. Je ne suis pas ce que je crois être. Je suis bien au-delà de ces faiblesses que je m'accuse de posséder, au-delà des masques que je porte croyant mieux me protéger, au-delà des balises que j'ai posées sur la route de l'insécurité.

Mon regard a si longtemps été habitué à considérer ce qui fait obstacle à ma vie plutôt que de voir tout ce qui m'invite à faire chemin. Si l'impuissance ne fait plus partie de mes croyances, c'est que j'ai fait la paix avec certaines souffrances. Puisque je vais là où je porte mon regard, j'exerce ma vision, découvre des perspectives dans lesquelles s'imposent les stratégies qui guideront ma vie personnelle et professionnelle vers là où je veux qu'elles aillent.

Je suis au-delà de ce que je crois être, et j'apprends à me faire confiance et à me découvrir pas à pas.

Avec égards pour cette dimension de ma vie qu'est le travail, je ne suis pas un produit, mais cette personne par qui un produit ou service jaillit et prend forme. Je ne suis pas un chercheur d'emploi, pas plus qu'un chercheur d'or, un chômeur ou un mendiant, mais une personne qui a des services à offrir, un projet à faire valoir.

Il peut arriver que je ressente le poids de mes faiblesses ou le besoin de me redéfinir, de revoir mon rôle et ses avenues. Il se peut que mes ressources créatrices se trouvent parfois démobilisées. Je me rappelle alors que cela n'est rien d'autre qu'une invitation à lâcher prise pour mieux continuer par la suite.

Je n'ai vraiment pas idée de ce qui existe au-delà de ce que je crois être. Et pour cette raison, je fais face aux croisées de chemin parce qu'elles m'invitent à accéder au «*chemin le moins fréquenté de moi-même*», comme le dit si bien Scott Peck.[11]

Je rends ma vie «écologique» chaque fois que je fais un pas pour regarder au-delà de cet arbre sur lequel j'arrête parfois mon regard. L'horizon est alors chaque fois si vaste que je me réjouis d'en faire partie.

Les nomades qui ne voyageaient plus

Dans un minuscule village érigé sur une bien petite île, vivait un peuple de nomades qui n'avaient pas voyagé depuis cent ans. Avec les années, ils étaient devenus si nombreux qu'ils durent envisager de construire des maisons sur pilotis autour de l'île.

Le vieux chef des nomades avait fait le serment à son défunt père de veiller à la prospérité de la nation en lui évitant toute migration inopportune. Il faut dire qu'à l'époque où il déclara l'île Terre des Nomades,

11. PECK, Scott. **Le chemin le moins fréquenté,** Paris, Éditions Robert Laffont, 1987.

le fondateur du village vit l'endroit rêvé pour établir son peuple. La végétation était si luxuriante, la vie aquatique si abondante qu'il crut en la possibilité pour son peuple d'y vivre éternellement.

Le fils, imprégné de l'avis de son père et portant fièrement son serment, avait fait en sorte que chacun puisse y vivre sereinement. Mais les nomades sont des nomades, et en eux rugit l'écho du changement.

Leur découverte de l'île avait marqué la réalisation d'un rêve. Celui de conquérir une terre n'ayant jamais été habitée ni explorée. À leur arrivée sur l'île, ils formaient un peuple de projets, un peuple plein d'idées, de découvertes, de passions, de défis et de dépassement. Mais, depuis longtemps déjà, ils ne rêvaient plus. Ils se remémoraient cependant avec joie les aventures de leurs ancêtres et se faisaient un devoir de les perpétuer de génération en génération. Ils se disaient heureux, et pourtant, ils ne riaient guère. La quotidienneté semblait avoir éteint leur véritable nature: celle de faire voyage, de ne s'imprégner d'aucun lieu, de quitter avant que naisse l'habitude, de rompre avec tout ancrage qui étouffe davantage qu'il ne rassure. Ils résistaient passivement à leur véritable nature.

Un jour qui aurait pu ressembler aux autres, le petit Tahôl, des ses douze ans bien affirmés, demanda à être reçu par le vieux chef du village. Sous l'accueil favorable du chef, la conversation alla comme suit:

«Grand chef, bonjour! Mon nom est Tahôl. Je viens vous consulter, car je ne sais plus quoi faire de mes parents qui s'ennuient à mourir!

— Comment sais-tu qu'ils s'ennuient, tes parents?

— C'est très simple. Ils ne rient jamais, semblent épuisés constamment et, de plus, ils ne fréquentent que des gens qui ne rient jamais et qui semblent tout aussi épuisés qu'eux.

— Ils fréquentent beaucoup de gens tes parents?

— Bien sûr! Ce sont eux qui organisent des réunions pour les déprimés anonymes. Chaque semaine, de nouvelles personnes s'ajoutent et racontent leur histoire. Ma mère a même loué secrètement la salle communautaire pour y tenir conférences et témoignages. Les rangs grossissent de semaine en semaine et moi, pendant ce temps, je m'inquiète terriblement.

— Selon toi, qu'est-ce qui déprime autant tes parents et ces gens?

— Je crois que c'est parce qu'ils ne savent plus être des enfants.

— Tu crois cela?

— Bien sûr! Ils m'ont parlé d'un temps lointain où ils s'amusaient à découvrir, à chanter, danser et rire. Vous devez bien savoir de quoi je parle, grand chef. Dans leur temps, c'était aussi votre temps, non?

— Tu sais, les choses ne sont plus aussi simples aujourd'hui. Nous sommes si nombreux et notre île est devenue si petite. Cela soulève de nombreux problèmes devant lesquels j'ai fort peu de réponses. Les gens s'évitent, ne se parlent presque plus sinon que pour se morfondre en cachette. L'entraide a disparu en même temps que le rêve et la joie. Personne ne semble plus avoir de courage pour affronter chaque jour. Je crains le pire, tu sais.

— Seriez-vous déprimé vous aussi, chef?

— Déprimé, non. Mais, comme toi, je suis terriblement inquiet.

— Ne voyez-vous pas qu'il faut faire quelque chose?

— Il faudrait, pour cela, connaître le vrai problème, trouver la cause profonde de cette dépression collective qui fait rage en notre peuple. J'ai beau chercher, mais je ne trouve pas. Je crois devenir un piètre chef.

— Je vous aiderai, chef. Je rassemblerai d'autres enfants qui, comme moi, n'ont pas le moral en marmelade. Et, ensemble, nous trouverons bien quelque chose. Il faut trouver, chef! Il faut trouver!»

C'est ainsi qu'un comité spécial composé de plusieurs enfants fut formé. Ils devinrent, aux côtés du chef, les premiers conseillers insulaires de l'histoire de l'île. Avec la complicité du chef, les enfants mirent en place un scénario visant à réveiller le peuple de sa léthargie. Puis, vint le jour où le chef ordonna un rassemblement d'urgence et fit la déclaration suivante:

«Peuple, je vous ai rassemblé afin de vous annoncer que je proclame l'île en état d'alerte et qu'elle est à compter de ce jour, déclarée en quarantaine. Un microbe infecte a élu domicile sur notre île. Son but est de nous voler notre âme et de faire de nous ses serviteurs. Il nous faut trouver où il se cache et l'exterminer avant qu'il ne nous dépossède de ce que nous sommes. Sa description est la suivante: il n'a ni coeur ni corps. Il est fait de voiles grisâtres qui nous empêchent de voir la lumière. Son odeur est si manifeste que là où il se terre, chaque fleur a perdu ses parfums. À son contact, nous perdons la faculté d'entendre les messages de notre coeur et d'écouter les besoins des autres. Nous ne goûtons plus qu'à l'amertume et la douceur d'un geste porté vers autrui se transforme en affront. À compter de ce jour, durant quarante jours, nous devrons consacrer chaque minute à le trouver. Des équipes seront formées sous la direction de mes conseillers insulaires. Chaque équipe rapportera ses indices et résultats de recherche à son conseiller respectif. Et, afin que l'ordre règne, il est demandé à chacun et chacune de faire preuve de solidarité, d'écoute et de compassion, car il nous sera impossible de trouver, si nous ne savons pas unir nos forces. Nos jours sont comptés sur l'île, si nous ne trouvons pas.»

Le peuple reçut la nouvelle avec effroi, mais les réactions qui suivirent laissèrent présager une entière collaboration.

«Il en va de nos vies! Il faut trouver! À bas le microbe! À bas le microbe»! crièrent-ils, tous en coeur.

Un insulaire ayant pris place sur le haut d'un rocher clama:

«Je demande la parole, chef.

— Très cher peuple, silence, s'il vous plaît. Ce jeune homme sur le rocher a quelque chose à dire.

— Je comprends l'urgence de trouver ce microbe, mais selon la description que vous en faites, à son contact, nous risquons d'être infectés. Comment éviter ce risque?

— En cherchant son contraire, vous en serez protégés. Vous l'inviterez ce faisant à quitter l'île et cela, sans violence aucune.»

Sans nulle autre question, le peuple se mit aussitôt au travail. L'esprit d'entreprise prit d'assaut le territoire. On se mit à chercher partout, à recueillir des indices et à transmettre des rapports quotidiens aux conseillers insulaires. De la passivité dont elle semblait imprégnée, l'île se transforma de jour en jour en cette Terre de Nomades qu'elle avait jadis été. L'agitation était productive et le plaisir de vivre était décuplé.

La fin de la quarantaine sonna et les conseillers insulaires rédigèrent ensemble le compte rendu des travaux. En porte-parole du comité,

Tahôl demanda à être reçu par le vieux chef du village.

«Bonjour, chef. La mise en quarantaine levée, voilà que je viens vous faire part des dernières nouvelles. Toutes les équipes sont unanimes à nous informer qu'ils n'ont rien trouvé. J'ai cependant en main plusieurs de leurs désirs exprimés. Voici une liste de gens qui expriment divers projets auxquels ils souhaitent s'associer. Parmi ces projets, je souligne ceux dont la réalisation dépend d'une permission de votre part de leur accorder le droit de faire voyage, à la manière de leurs ancêtres, disent-ils. J'aimerais vous faire lecture de chacune des découvertes réalisées en l'espace de ces quarante derniers jours et suis ému par cet honneur que j'ai de vous les présenter. Cela va comme suit:

"À regarder vers la lumière, nous avons reconnu la beauté du ciel, le soleil baigner les collines à son coucher et transformer le paysage à chacun de ses levers. À sentir l'arôme de la terre gagner chaque fleur, nous avons parfumé chacune de nos respirations en moment d'exaltation. À écouter nos coeurs, nous avons libéré chaque douleur et accueilli la légèreté et, à l'écoute des autres, chaque différence est devenue complicité. À goûter la joie, nous avons chassé l'amertume et chaque geste de douceur porté vers autrui l'a transformée autant que nous le fûmes à notre tour. De nos découvertes, nous terminons en vous adressant nos excuses. Nous croyons avoir perdu de vue la mission que vous nous avez confiée. Mille excuses, chef. Nous sommes si occupés à vivre que trouver un microbe nous semble être une entreprise tout à fait inopportune. Nous espérons que vous saurez nous comprendre. Collectivement vôtre, Le Peuple des Nomades."

— Tahôl?

— Oui, grand chef.

— Le microbe. As-tu pensé lui donner un nom?

— Ça serait utile à quoi, chef?

— À servir de titre à l'explication de cette page d'histoire dans le grand livre du peuple des Nomades.

— Alors, appelez-le "Oubli", chef.

— Oubli?

— Oui. Et vous n'aurez qu'à expliquer que pendant des années, les Nomades ne savaient plus ce qu'ils étaient et qu'il a fallu que des enfants s'en mêlent pour que de l'état de marmelade, leur moral se transforme en gâteau d'anniversaire.

— Oui. Enfin... le devoir d'un chef est de reporter les faits, tels qu'ils sont, n'est-ce pas?

— Tout à fait, chef.

— Tu sais quoi, Tahôl?

— Non, grand chef. Je ne sais pas.

— Je parierais mon trône que tu as un grand rêve.

— Un rêve?

— Si. Un rêve.

— Lorsque je serai chef, je vous le confierai avec joie, chef.»

Bienvenue créativité!

Écrit en chinois, le mot «crise» se compose de deux caractères: l'un représente le danger et l'autre l'occasion à saisir.

John F. Kennedy

Nous ne pouvons plus nier l'importance de la créativité comme moteur de changement. Comme nous ne pouvons plus nier l'importance de modifier nos façons de faire et d'être en tant que personne, entreprise et société. Pour certains, le travail est devenu une pathologie qui s'exprime par un mal d'être affichant de multiples facettes. Pour d'autres, le travail est une dimension de la vie qui offre la possibilité de répondre à leur besoin d'effectuer quelque chose qui leur permet de grandir tout en contribuant à répondre aux besoins des individus et des groupes qui forment notre société.

Pour la personne en chemin vers le marché du travail avec une vision entrepreneuriale, le travail devient projet. Dans cet esprit, elle se trouve à faire voyage vers le cycle de la créativité actuellement à notre porte et qui lance un appel collectif: *«S.O.S. Projet.»*

Bienvenue créativité! Bienvenue à tous ceux et celles qui désirent s'associer au changement. Nous ne pourrons trop répéter que si les emplois sont rares, le travail, lui, ne manque pas.

De nombreux défis attendent ceux qui souhaitent faire projet. La créativité est une page d'histoire à imaginer, créer et faire devenir, et nous sommes les seuls à pouvoir l'écrire.

Chose certaine, il y aura des pertes. À mesure que nous grandissons, nous faisons l'expérience de nombreux renoncements. Nous oublions cependant de considérer l'ampleur des gains que nous récoltons à chaque étape de notre croissance.

L'appel au changement se fait tant sur le plan individuel que collectif, organisationnel qu'économique, social que mondial. Nous sommes nombreux devant cet appel qui vise à nous réapproprier notre essence. À quel prix? À celui de nos habitudes structurées, modelées, hiérarchisées, bureaucratisées, technocratisées.

La créativité ne se pose pas ici comme un choix devant lequel nous devons nous prononcer pour ou contre. Il n'y a pas de vote démocratique possible. Nous nous retrouvons devant la créativité étant donné l'importance de satisfaire nos besoins et de remédier aux problématiques que nous vivons.

Le cycle de la créativité est une sorte d'étape, une des boucles d'un système plus grand dans lequel s'inscrit notre évolution en tant qu'individu et société.

Il n'est pas à notre avantage d'empêcher les fleurs de bourgeonner ni en notre pouvoir d'abolir les saisons, encore moins de notre ressort d'empêcher la lune de faire sa course autour de nous. Chaque système vivant fait partie d'un système plus grand avec lequel il se meut constamment. Il en est de même pour nous.

La créativité se présente comme un appel à la vie, à se défaire de ce qui ne nous va plus, à enlever les voiles grisâtres sous lesquels nous ne voyons plus la lumière ou le bout du tunnel.

C'est ainsi que pour entrer dans l'ère de la créativité, les pas vers une adaptation se font tantôt graduels tantôt pressés, comme c'est le cas actuellement pour les entreprises. L'adaptation optimale est visée, non pas par choix, mais parce que toute résistance se chiffre rapidement en pertes de capital, pertes de clients, pertes de parts de marché.

Entre la déclaration d'urgence d'une entreprise et l'implantation proprement dite des changements dans le quotidien des activités de travail, il y a un grand fossé. Dans ce grand fossé sont installées, apeurées, ce que nous appelons les ressources humaines. Oublions de considérer le facteur humain des entreprises et, somme toute, la vie est belle! Comme le dessin d'un plan de maison sur croquis, le design d'un plan de changement couché sur papier est d'une beauté quasi parfaite. C'est lorsque l'entrepreneur en construction est sur le chantier que nous découvrons tout ce que nous n'avions pas prévu.

Les grands imprévus des entreprises, ce sont les personnes. Bien qu'il existe de très bonnes approches au changement qui tiennent compte des particularités et caractéristiques humaines, il demeure que chaque personne doit d'abord, et pour elle-même, s'approprier le changement. Elle doit d'abord apprendre à faire le deuil de ses pertes avant de pouvoir envisager une quelconque collaboration renouvelée. De plus, si une mobilisation du personnel dans les entreprises est visée, il faudra aussi réaliser que pour débiter toute nouvelle demande, il faut surtout apprendre à créditer, non à soustraire. Une mobilisation collective n'est durable que s'il est permis à chaque individu d'apprendre à se mobiliser lui-même et à redonner à son travail le sens qu'il mérite.

Le besoin, l'urgence ou la capacité de changer diffèrent bien sûr selon les lunettes que nous portons et selon chaque individu. Lorsqu'une personne apprend à mobiliser ses forces créatrices, elle ne considère plus le changement comme une menace, mais comme une opportunité d'expression supérieure.

La créativité n'est pas une pilule à avaler, mais une façon d'être, de se comporter et de vivre avec dignité ce que nous sommes. Dans son livre **Piloter dans la tempête**, Léon Courville souligne, en parlant des organisations devant le défi de la créativité: «Inutile d'être créatif si l'on ne peut agir. Impossible d'agir si l'on n'est pas créatif.»[12]

En fait, c'est dans la divergence que la créativité a la possibilité de trouver son chemin. Ainsi, si nous croyons que le marché du travail fait actuellement les frais d'une tempête aux allures d'un typhon, il faudra sans doute, pour la braver, plusieurs équipes d'urgence, des projets remédiables, des stratégies d'intervention, des initiatives individuelles et collectives. Si nous restons atterré devant le phénomène, quel nom portera notre sort?

12. COURVILLE, Léon. **Piloter dans la tempête,** Montréal, Éditions Québec/Amérique, 1994.

Conclure cet ouvrage consistera à en souligner l'essentiel. L'essentiel, ce n'est pas moi qui l'ai écrit. C'est d'abord Socrate avec sa maxime «*Connais toi toi-même*», puis c'est aussi quantité d'autres personnes après lui qui, depuis des générations, observent d'un regard à la fois détaché et plein de compassion l'importance d'aller à cette rencontre avec nous-même.

Une vision entrepreneuriale du travail est une façon de communiquer avec nous et de poser un regard authentique sur ce qu'est le monde du travail. Bien sûr, nous pouvons choisir de ne rien voir. Comme nous pouvons aussi choisir de ne pas «nous» voir. Cela appartient à chacun de nous. Sachons seulement croire que s'il y a un vide, c'est qu'il y a un plein. À chacun de nous, ensuite, de créer la réalité qui lui convient. Cet ouvrage n'a jamais eu et n'aura jamais la prétention d'être ce qu'il n'est pas, c'est-à-dire une recette. Les recettes, c'est en chacun de nous qu'elles se trouvent. La plus noble intention de cet ouvrage fut de tenter d'établir une certaine rencontre avec le lecteur. Si cela est chose faite, j'en suis fort honorée. Si cela n'est pas, le lecteur ne lira probablement pas cette conclusion.

J'ai cherché depuis mon enfance et pendant de longues années à trouver un mentor, une sorte de personne sage qui pourrait me dire comment interpréter ce monde et, surtout, comment faire pour y vivre et y collaborer au mieux. Je n'ai pas trouvé de mentor ni de recette. Un jour, au cours d'un projet à l'étranger, j'ai fait la connaissance d'un vieil homme qui exploitait un petit casse-croûte sur le bord de la mer. Jamais un étranger ne s'aventurait chez lui, m'a-t-il dit. Et, comme si nous nous étions toujours connus, il me raconta son bonheur: «*Je suis ici tous les matins, avant le lever du soleil. Je suis là pour l'accueillir et il me récompense chaque fois. Et, c'est après avoir été rempli de chacun de ses couchers que je rentre chez moi, tout plein de lui.»* De son être traversait un puits sans fond duquel émergeait une source pleine de compassion.

Lorsque je revins au pays pour étudier les grands maîtres de pensée en andragogie, c'est Carl Rogers qui m'a séduite. Il avait, pareil à ce vieil homme, créé des centaines de rencontres entre lui et le monde sans jamais en chercher le comment, sans recette aucune. Ces deux hommes partageaient une richesse aux déploiements infinis. En s'abandonnant à ce qu'ils étaient, ils accueillaient le courant de la vie qui permet la création d'un lien authentique, dégagé de toute attente envers le monde, envers les êtres autour d'eux, envers eux-mêmes. Et, ce n'est pas le travail qui leur a manqué! Ils n'ont pas vécu dans le manque ni le manquement. Le plein était si plein, que le vide en pâlissait d'ennui.

Quelles leçons d'humilité j'ai appris d'eux! Apprendre à reconnaître que nous ne savons jamais rien. Apprendre à reconnaître qu'à chercher le comment ne rime à rien si nous ne pouvons l'associer à une expérience qui nous appartient en propre. J'ai aussi appris que reconnaître notre pauvreté rend l'être que nous sommes profondément riche. Dépouillé de tout ce que nous ne sommes pas, nous accédons enfin à ce que nous sommes vraiment. L'ultime leçon, l'ultime geste, reste ensuite à nous pardonner d'avoir été aussi indifférent envers nous-même.

L'actuel face-à-face avec le vide n'est pas seulement l'histoire de ceux et celles qui visent à entrer sur le marché du travail. C'est l'histoire d'une région, d'un peuple, d'une nation, d'un monde qui vascille entre le désir d'être et son renoncement. Le face-à-face avec le vide, c'est une autocensure par rapport à l'an 2000. Si les jeunes nous disent: «*À quoi ça sert d'étudier, si y'a pas de jobs?*», si les plus vieux nous interpellent: «*À quoi ça sert de vivre, si on ne sert plus à rien ni personne?*», si les gens au travail témoignent: «*À quoi ça sert de travailler, si on n'en voit plus le sens?*», si nous nous retrouvons tous face à face avec le vide, c'est qu'il y a nécessairement quelque chose là, à apprendre, à découvrir, à nous réapproprier. Quelque chose pour nous rappeler que nous sommes d'abord et avant tout des nomades. Des gens qui ont soif d'engagement et de collaboration. Des gens qui voyagent contre vents et marées. Des gens fiers qui veulent des histoires à raconter. Des histoires qui nous appartiennent. Des histoires qui nous ressemblent. Des histoires qui auront pris racine par le rêve et que nous aurons traduites dans la réalité. La nôtre, puisqu'il n'y en a pas d'autre.

Évitons de nous mentir et de nous accrocher à l'espoir que quelque chose viendra, se produira, pour sauver notre égarement passager. Il n'y aura ni président ni roi pour porter nos attentes, ni coupable ni traître sur qui déverser nos blâmes. Les attentes sont des illusions qui asservissent l'engagement et brouillent l'âme.

Un des grands réconforts dans cette page d'histoire sur le changement, c'est que nous ne sommes pas seul. Nous nous retrouvons si nombreux à la partager, qu'il y a lieu, à nous tous, de démarrer une grande entreprise et de la rentabiliser au mieux. Une entreprise où fourmilleront des millions de petits projets, partout dans le monde. Des projets où nous démystifierons les coûts pour mieux dresser la courbe des bénéfices.

Le travail prend désormais un sens multiforme. Quelle définition lui donnerons-nous dans les années 2000? Nous pouvons certes exercer de mille façons notre vision prophétique. Je parie seulement que nous ne parlerons plus de sa fin, car la fin du travail, c'est la fin de l'humanité. Que cela soit, et nous n'y serons pas pour l'attester.

Je parie aussi que puisque nous sommes ces personnes par qui les choses arrivent, nous sortirons de la torpeur pour créer des pleins qui supplanteront nos vides. Des pleins aux couleurs de nos besoins. Et je suis historiquement très à l'aise avec ce pari.

À reprendre le cours de notre histoire, nous y découvrirons cet héritage plein d'encouragement, plein de voyages que nous avions crus impossibles, plein d'audace et plein de foi. Plein de ce quelque chose qui nous parle de liberté.

COSSETTE, Claude. **Un Québec viable mais vivable pour nos enfants!**, Le Club régional de l'entrepreneurship, édition spéciale 5e anniversaire, avril 1992.

COURVILLE, Léon. **Piloter dans la tempête**, Montréal, Éditions Québec/Amérique, Les Presses des HEC, 1994.

FILION, Louis-Jacques. **Vision et relations: clefs du succès de l'entrepreneur**, Montréal, Les Éditions de l'entrepreneur, 1991.

FORTIN, Paul-Arthur. **Devenez entrepreneur**, Sainte-Foy, Les Presses de l'Université Laval et Montréal, Publications Transcontinentales, 2e édition, 1992.

FRITZ, Robert. **Apprenez à découvrir la force créatrice de votre vie**, Montréal, Éditions Libre Expression, 1991.

GASSE, Yvon. **L'entrepreneur moderne: attributs et fonctions**, Revue internationale de gestion, vol. 7, no 4, 1982.

KÜBLER-ROSS, E. **On Death and Dying**, New York, The Macmillan Company, 1969.

PAUCHANT, Thierrey, C. et collaborateurs. **La quête du sens**, Montréal, Éditions Québec/Amérique, 1996.

PECK, Scott. **Le chemin le moins fréquenté**, Paris, Éditions Robert Laffont, 1987.

TOULOUSE, Jean-Marie. Conférence donnée au colloque **Culture entrepreneuriale en éducation**, tenu à Trois-Rivières le 2 mai 1992.

La collection **LIBRE COURS** *veut rendre compte des démarches et pratiques originales menées dans les divers secteurs de la formation par des chercheurs ou des praticiens de tous horizons. Les propos des auteurs sont livrés sans prétention, dans un langage sobre et clair, libre et court.*

LA COLLECTION LIBRE COURS

dirigée par Denis Pelletier

OUVRAGES DÉJÀ PARUS DANS LA COLLECTION

- **Raconte-moi les règles de vie**
  Des contes pour l'enseignement de règles de vie à l'école primaire.
  Charlotte Plante, directrice d'école

- **Une approche fabuleuse de l'orientation**
  Les fables de La Fontaine pour choisir et décider.
  Daniel Bizier, conseiller d'orientation

- **Au risque d'être soi**
  Crise professionnelle: des enseignants se racontent.
  Andrée Condamin, conseillère en orientation et psychothérapeute

---

Tout organisme intéressé à entrer en contact avec l'auteure du présent document peut s'adresser directement aux Éditions Septembre ou par l'intermédiaire du numéro de télécopieur suivant: (514) 477-9694.